# CUENTOS CORTOS PARA SOÑAR 3

**A** *Editorial El Ateneo*

# CUENTOS
## CORTOS
### PARA
# SOÑAR

# 3

Mabel Zimmermann

Loly Acuña

Zimmermann, Mabel
    Cuentos cortos para soñar 3 / Mabel Zimmermann ; ilustrado por Loly
Acuña. - 1a ed. ; 3a reimp. - Ciudad Autónoma de Buenos Aires :
El Ateneo, 2022.
    176 p. : il. ; 15 x 21 cm.

    ISBN 978-950-02-1117-8

    1. Narrativa Argentina. 2. Literatura Infantil. 3. Libro para Niños. I.
Acuña, Loly, ilus. II. Título.
    CDD A863.9282

*Cuentos cortos para soñar 3*
Autora: Mabel Zimmermann
Ilustradora: Loly Acuña

© Grupo ILHSA S. A. para su sello Editorial El Ateneo, 2022
Patagones 2463 - (C1282ACA) Buenos Aires, Argentina
Tel.: (54 11) 4943-8200 Fax: (54 11) 4308-4199
editorial@elateneo.com - www.editorialelateneo.com.ar
Dirección editorial: Marcela Luza
Edición: Marina von der Pahlen
Producción: Pablo Gauna

1ª edición: noviembre de 2020
3ª reimpresión: agosto de 2022
ISBN 978-950-02-1117-8

Impreso en Talleres Trama,
Pasaje Garro 3160, ciudad de Buenos Aires,
en agosto de 2022.
Tirada: 5000 ejemplares

# LA VERDAD SOBRE LAS VACAS

A VECES EN LOS CAMPOS SE PUEDEN VER MUCHAS VACAS QUE PERMANECEN QUIETAS COMIENDO PASTO, O MIRANDO LOS AUTOS QUE PASAN. PERO EN REALIDAD NO SON VACAS, SINO SOLAMENTE SU VESTIDO. ELLAS ESTÁN TAN ABURRIDAS DE CAMINAR POR EL MISMO CAMPO, COMER SIEMPRE LA MISMA COMIDA Y DORMIR SIEMPRE EN EL MISMO LUGAR, QUE, ALGUNAS VECES, SE ESCAPAN. SE SACAN SU VESTIDO BLANCO Y NEGRO,

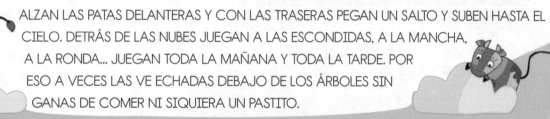

ALZAN LAS PATAS DELANTERAS Y CON LAS TRASERAS PEGAN UN SALTO Y SUBEN HASTA EL CIELO. DETRÁS DE LAS NUBES JUEGAN A LAS ESCONDIDAS, A LA MANCHA, A LA RONDA... JUEGAN TODA LA MAÑANA Y TODA LA TARDE. POR ESO A VECES LAS VE ECHADAS DEBAJO DE LOS ÁRBOLES SIN GANAS DE COMER NI SIQUIERA UN PASTITO.

# ANA Y SU BARCO

ANA ARRANCÓ UNA HOJA DE SU CUADERNO E HIZO UN BARQUITO DE PAPEL COMO LE HABÍA ENSEÑADO SU PAPÁ. HACÍA DOS DÍAS QUE LLOVÍA. ASÍ QUE CUANDO SU MAMÁ SE DESCUIDÓ, ANA CORRIÓ A LA VEREDA Y LO PUSO EN LA CALLE, AL LADO DEL CORDÓN DE LA VEREDA, Y MIRÓ UNOS INSTANTES CÓMO EL BARCO SE ALEJABA. LA HOJA DE PAPEL PENSÓ QUE LA NIÑA ESCRIBIRÍA SOBRE ÉL ALGUNAS FRASES AMOROSAS PARA SU MAMÁ Y HARÍA DIBUJOS COLORIDOS. NUNCA IMAGINÓ QUE ESE SERÍA SU DESTINO: VIAJAR FLOTANDO SOBRE EL AGUA, CONOCER LAS CALLES, SENTIR EL FRESCO DE LA LLUVIA. ANA AHORA ERA UN PUERTO, Y EL BARQUITO DE PAPEL, UN NAVÍO QUE LUCHABA VALIENTEMENTE CONTRA UNA TORMENTA MARINA.

# AZÚCAR EN LA VOZ

UNA ESTRELLA DISTRAÍDA SE PUSO A JUGAR CON UN COMETA A LAS CARRERAS Y SE PERDIÓ. NO RECONOCÍA A NINGUNA ESTRELLA QUE TENÍA CERCA. ENTONCES SE PUSO A LLORAR COMO LLORAN LAS ESTRELLAS: EMPEZÓ A TITILAR Y A APAGARSE DE A POQUITO. POR SUERTE ESA NOCHE LA LUNA ESTABA LLENA Y LA VIO ALLÁ LEJOS TITILANDO DE MIEDO, NO PODÍA LLAMAR A SU MAMÁ NI A LAS ESTRELLAS VECINAS. LA ESTRELLITA PERDIDA TITILABA CADA VEZ CON MÁS INTENSIDAD. LA LUNA, GUARDIANA DE LA NOCHE, QUE TIENE UNA VOZ DE AZÚCAR, GUIO A LA ESTRELLA CON UNA CANCIÓN DE CUNA PARA QUE REGRESARA CON SU MAMÁ. CUANDO LOGRÓ VOLVER, LA ESTRELLITA SE ILUMINÓ FUERTE FUERTE, PORQUE ESTABA MUY FELIZ.

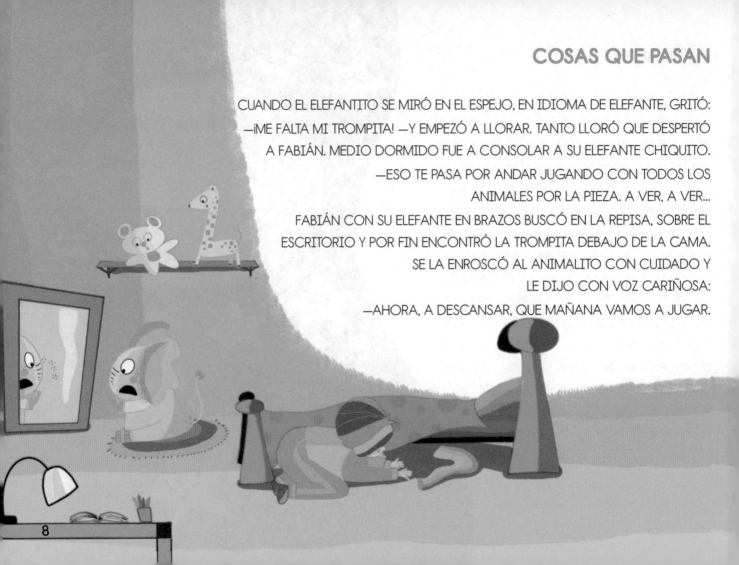

# COSAS QUE PASAN

CUANDO EL ELEFANTITO SE MIRÓ EN EL ESPEJO, EN IDIOMA DE ELEFANTE, GRITÓ:

—¡ME FALTA MI TROMPITA! —Y EMPEZÓ A LLORAR. TANTO LLORÓ QUE DESPERTÓ A FABIÁN. MEDIO DORMIDO FUE A CONSOLAR A SU ELEFANTE CHIQUITO.

—ESO TE PASA POR ANDAR JUGANDO CON TODOS LOS ANIMALES POR LA PIEZA. A VER, A VER...

FABIÁN CON SU ELEFANTE EN BRAZOS BUSCÓ EN LA REPISA, SOBRE EL ESCRITORIO Y POR FIN ENCONTRÓ LA TROMPITA DEBAJO DE LA CAMA. SE LA ENROSCÓ AL ANIMALITO CON CUIDADO Y LE DIJO CON VOZ CARIÑOSA:

—AHORA, A DESCANSAR, QUE MAÑANA VAMOS A JUGAR.

# ABRAZO

EN UN LEJANO PAÍS VIVÍA UN REY CON SU ÚNICA HIJA. EL REY ESTABA SIEMPRE OCUPADO EN ASUNTOS DE PALACIO, PERO ESO NO LE IMPEDÍA DARSE CUENTA DE LA TRISTEZA DE SU HIJA. UN DÍA, DECIDIÓ TRAER A PALACIO A LOS TRES MEJORES MAGOS DEL MUNDO PARA QUE LA CURARAN. UNO DE ELLOS, CUANDO LA VIO RECOSTADA EN EL SILLÓN, LE RECETÓ CAMINAR, CORRER, IR A CABALLO, SALTAR A LA SOGA.

—HACIENDO ESTO DURANTE UN MES SE PONDRÁ BIEN —HABÍA DICHO.

9

## ABRAZO *(CONTINUACIÓN)*

PERO AL CABO DE UN MES LA PRINCESA ESTABA TRISTE Y CANSADA. EL SEGUNDO MAGO LE RECETÓ LLAMAR AL SASTRE PARA QUE LE HICIERA A LA PRINCESA DIEZ VESTIDOS DE TODOS COLORES Y LLENOS DE VUELOS. AL CABO DE UN MES LA PRINCESA ESTABA TRISTE Y DISFRAZADA. EL TERCER MAGO SE QUEDÓ EN SILENCIO UN RATO Y LUEGO DIJO:

—¡ESTO ES MUY FÁCIL! ¡YO SÉ CÓMO CURARLA!

LE PIDIÓ AL REY QUE SE ACERCARA A LA PRINCESA Y QUE ESTUVIERAN FRENTE A FRENTE. EL REY DEBÍA PASAR LOS BRAZOS POR LA CINTURA DE LA PRINCESA Y PALMEARLE LA ESPALDA. ELLA DEBÍA ESTIRAR SUS BRAZOS Y TOMAR SUS MANOS POR DETRÁS DEL CUELLO DE SU PADRE. Y MUY IMPORTANTE, APOYAR SU CABEZA EN EL HOMBRO DEL REY.

# ABRAZO *(CONTINUACIÓN Y FIN)*

—¡CINCO MINUTOS, CINCO VECES POR DÍA! LO MÁS APRETADOS QUE PUEDAN. TAL VEZ SURJA EL LLANTO, NO SE PREOCUPEN, PASARÁ. HÁGANLO DURANTE DOS SEMANAS.

AL CABO DE UNOS DÍAS, ABRAZADOS EL REY Y LA PRINCESA EMPEZARON A HABLAR Y SE DIJERON COSAS QUE NUNCA SE HABÍAN DICHO. SE PUSIERON FELICES DE CONOCERSE DE VERDAD. CUANDO VINO EL MAGO, LO INVITARON CON UNA CENA MAJESTUOSA PARA FESTEJAR.

## UNA MONADA

EN EL MEDIO DE LA SELVA UNA MONA
SE REÍA. ES QUE UN MONO LA MIRABA Y LA
RONDABA DE RAMA EN RAMA.
LA MONA BUSCABA NOVIO Y EL MONO
BUSCABA ESPOSA.
—¿LE GUSTARÉ A ESTA MONA COMO ELLA ME
GUSTA A MÍ? —SE PREGUNTABA MIENTRAS
IBA DE LIANA EN LIANA.
—¿LE GUSTARÉ A ESTE MONO COMO ME
GUSTA A MÍ? —SE REÍA Y PESTAÑABA LA
MONA MIRANDO AL MONO.
DE TANTO MIRARSE SE FUERON ACERCANDO.
AHORA TIENEN UNA FAMILIA CON CINCO
MONITOS QUE VAN DE LIANA EN LIANA,
SE RÍEN Y PESTAÑEAN MIRANDO A TODOS LOS
MONOS Y LAS MONAS DE LA SELVA.
LOS MIRAN DESDE EL SUELO OTROS
ANIMALES Y NO DEJAN DE DECIR:
—¡QUÉ MONADA!

# REGALO

EN EL GALLINERO DE DON ZOILO HABÍA UN GALLO. SU VECINO, QUE SE IBA DEL CAMPO, LE REGALÓ OTRO POR TODOS LOS FAVORES RECIBIDOS.

LOS GALLOS SE MIRARON Y NO LES GUSTÓ NADA ESO DE COMPARTIR GALLINERO. CADA VEZ QUE ASOMABA EL SOL COMENZABAN CON SU CACAREO Y COMPETÍAN PARA VER QUIÉN DE ELLOS LO HACÍA MÁS FUERTE, MÁS PROLONGADO Y MÁS AFINADO.

SEMANA TRAS SEMANA IBAN VOLVIENDO SORDOS A TODO EL GALLINERO, A LAS VACAS, A LOS CERDOS Y TAMBIÉN A DON ZOILO Y A SU FAMILIA. ¡SE TAPABAN LAS OREJAS CON LAS ALMOHADAS PARA NO ESCUCHARLOS!

AL FINAL, DON ZOILO NO AGUANTÓ MÁS Y LE REGALÓ LOS DOS GALLOS A OTRO VECINO.

# EL COLIBRÍ Y SUS PICHONES

ERA UNA ÉPOCA DE SEQUÍA. LOS CAMPOS ESTABAN AMARILLOS, Y LAS FLORES, SECAS. EL COLIBRÍ NO ENCONTRABA NÉCTAR PARA SUS PICHONES. DECIDIÓ ALEJARSE DEL NIDO HASTA HALLAR AGUA. FINALMENTE LA ENCONTRÓ, PERO ERA MUY POCO LO QUE PODÍA TRAER EN SU PICO. AGOTADO Y SIN FUERZAS, CAYÓ RENDIDO EN EL NIDO JUNTO A SUS DOS PICHONCITOS.

EL COLIBRÍ NO SE HABÍA DADO CUENTA DE QUE, AL VOLVER, UN POCO DE AGUA TRANSFORMADA EN NUBE LO HABÍA SEGUIDO. ÉL Y SUS HIJOS DESPERTARON PORQUE UNA GOTA DE LLUVIA LES CAYÓ EN LA CABEZA. LOS PICHONES PUDIERON BEBER AGUA, EL CAMPO RECUPERÓ SU VERDOR, Y LAS FLORES, SU NÉCTAR.

# BURBUJITA TIBIA

EL SUEÑO ES UNA BURBUJA TIBIA Y TRANSPARENTE QUE ANDA DE AQUÍ PARA ALLÁ, A VECES ES DIFÍCIL DE ATRAPAR. NO SE AGARRA CON LAS MANOS, HAY QUE CAZARLO CON SUSPIROS Y BOSTEZOS. TAMBIÉN SE LO PUEDE ATRAER CON CANCIONES SUAVES Y MELODIOSAS O CON UN CUENTO SERENO. A ESTA BURBUJA DE SUEÑOS NO LE GUSTAN LOS OJOS BIEN ABIERTOS. SE VA POR EL AIRE Y ES DIFÍCIL DE ALCANZAR. PERO HAY UN SECRETO, UNAS PALABRAS MÁGICAS QUE SON COMO UN IMÁN PARA ATRAER EL SUEÑO.

*BURBUJITA TIBIA, YO CIERRO LOS OJOS,*
*RESPIRO PROFUNDO,*
*ESPERO SERENO UN BOSTEZO GRANDE Y*
*YA VIENE EL SUEÑO.*

15

# ANIMALITOS TEJIDOS

OLIVIA TEJE ANIMALES AL CROCHET. SON PEQUEÑOS, CABEN EN UNA MANO, ESTÁN HECHOS DE LANA Y RELLENOS CON ALGODÓN.

LE GUSTA HACER ANIMALES DE LA SELVA: LEONES, ELEFANTES, TIGRES, PANTERAS, COCODRILOS Y MONOS. TAMBIÉN HACE ANIMALES DE GRANJA: OVEJAS, CERDOS, CABALLOS, VACAS Y CONEJOS. TIENE UNOS CUANTOS PÁJAROS TEJIDOS: CANARIOS, CARDENALES, ÁGUILAS Y GORRIONES.

YA TEJIÓ CUATROCIENTOS TREINTA Y DOS ANIMALES Y AHORA ESTÁ HACIENDO UN CANARIO.

CUANDO SE VA A DORMIR ELIGE CINCO. CON ELLOS SOÑARÁ AVENTURAS DE LA SELVA, DEL CAMPO O VOLARÁ POR LA MONTAÑA O LA LLANURA.

ES QUE A OLIVIA LE GUSTA VIAJAR.

# HAY QUE EDUCAR AL VERANO

EL SOL DEL VERANO ESTÁ FURIOSO DE ENVIDIA
POR LAS FLORES DE LA PRIMAVERA, POR ESO SUS RAYOS
LAS MARCHITAN.

AL VER LO QUE SUCEDE, SE ACERCA EL OTOÑO PARA
TRANQUILIZARLO.

—SEÑOR VERANO, CÁLMESE Y VERÁ LOS FRUTOS QUE
SUS RAYOS LOGRARON. ADEMÁS, YO PUEDO
MOSTRARLE COLORES TAN BELLOS COMO LOS DE LA
PRIMAVERA: ÁRBOLES ROJOS Y OTROS AMARILLOS…

EL VERANO LO OYE Y SE ADORMECE.

ENTONCES EL INVIERNO APROVECHA Y SE VIENE
CON TODO EL FRÍO.

LA PRIMAVERA, AL VER LO QUE SUCEDE, SE
ADELANTA Y FLORECE ALGUNOS JAZMINES Y ALGÚN
LAPACHO PARA QUE NO TODO ESTÉ TAN TRISTE.

EL SOL, AL VER COLORES, SONRÍE Y LOS ILUMINA.
HASTA QUE VUELVE A SENTIR ENVIDIA Y
SE ENFURECE.

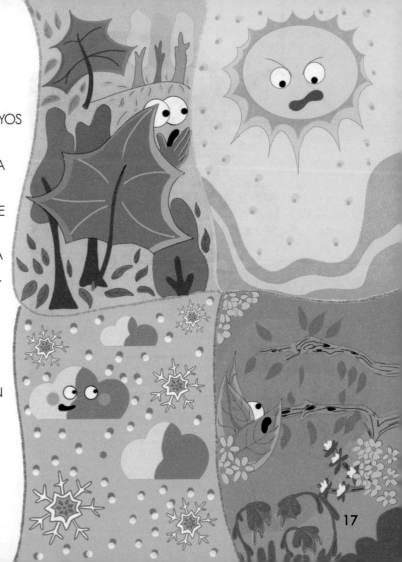

# VIAJE A LA LUNA

ESTEBAN MUCHAS VECES SE ENCAPRICHABA CON IDEAS IMPOSIBLES.

—¡PAPÁ, QUIERO IR A LA LUNA! —LE DIJO A SU PADRE A LOS SIETE AÑOS.

—TENDRÍAS QUE ESTUDIAR PARA SER ASTRONAUTA —LE CONTESTÓ EL PADRE.

—¡NO! ¡QUIERO IR AHORA!

MUY ENOJADO, SE QUEDÓ EN SU CUARTO Y NO QUISO SALIR.

ALLÍ NO HABÍA JUGUETES, SOLO UNA BIBLIOTECA. DESDE QUE ERA BEBÉ LE HABÍAN REGALADO LIBROS, PERO HABÍA LEÍDO UNOS POCOS.

ESTEBAN ENCONTRÓ UNO REGALADO POR LA TÍA JULIA, QUE CONTABA EL AMOR ENTRE UN GRILLO Y LA LUNA.

AL RATO ENTRÓ SU PADRE Y LE DIJO:

—ESTEBAN, ¿VAMOS A LA PLAZA?

—MÁS TARDE, PAPÁ, AHORA ESTOY EN LA LUNA.

18

# EL DESEO DE MARÍA LUZ

MARÍA LUZ VIVÍA EN SU CASA COMO UNA PRINCESA. ERA HIJA ÚNICA Y SUS PADRES LE COMPRABAN LOS MEJORES JUGUETES.

CUANDO CADA NOCHE LA ACOMPAÑABAN A DORMIR, LE PREGUNTABAN:

—DIME, MI NIÑA, ¿QUÉ QUIERES QUE TE COMPRE MAÑANA?

CUANDO ERA MUY PEQUEÑA ELLA ELEGÍA UN JUGUETE Y AL DÍA SIGUIENTE LO TENÍA. PERO CUANDO FUE MÁS GRANDE MARÍA LUZ CONTESTABA:

—¡QUIERO CONOCER EL MUNDO!

—ESO NO, MI NIÑA, EL MUNDO ES PELIGROSO ¿QUIÉN TE PROTEGERÁ FUERA DE CASA?

DESPUÉS DE UNOS AÑOS, UNA MARIPOSA AZUL SE LE POSÓ EN EL HOMBRO MIENTRAS CAMINABA EN EL JARDÍN Y LUEGO SALIÓ VOLANDO.

MARÍA LUZ LA SIGUIÓ, ATRAVESÓ EL JARDÍN, LA REJA DE ENTRADA Y EL SENDERO QUE LA SEPARABA DEL MUNDO.

# UN GATO VALIENTE

UN GATO MARRÓN MAULLABA EN LO
ALTO DE UN ÁRBOL.
"¿TENDRÁ HAMBRE? ¿TENDRÁ FRÍO?", PENSÓ MARINA.
EL GATO SE LAMÍA LAS PATITAS
APOYADO EN UNA RAMA.
"¿SE HABRÁ COMIDO A MI CANARIO?", PENSÓ, Y,
PREOCUPADA, FUE HASTA LA GALERÍA DE SU CASA.
ALLÍ, EL PÁJARO LE CONTÓ QUE UN ENORME
RATÓN RONDABA LA MESA EN LA QUE
ESTABA LA JAULA Y QUE UN GATO MARRÓN
ENORME LO SALVÓ Y SE COMIÓ AL RATÓN.
MARINA LE PIDIÓ AYUDA A SU PAPÁ
PARA BAJAR EL GATO DEL ÁRBOL Y
LO LLEVÓ A SU CASA. LE PREPARÓ
UNA ALFOMBRITA PARA DORMIR
Y LE DIJO:
—DESDE AHORA TE LLAMARÁS
CHOCOLATÍN, Y VIVIRÁS
CON NOSOTROS.

20

# JUGAR BAJO LA LLUVIA

A FEDERICO LE GUSTABA LA LLUVIA. CUANDO PODÍA SE ESCAPABA AL PATIO Y CORRÍA DE UN LADO AL OTRO HASTA QUE QUEDABA EMPAPADO.

—¡TE VAS A ENFERMAR; ENTRA, POR FAVOR! —LE DECÍA SU MAMÁ, PERO A FEDE LE GUSTABA MUCHO SENTIR LA LLUVIA EN SU CARA Y EN SUS MANOS, CHAPOTEAR EN LOS CHARCOS Y TRAGAR LAS GOTAS.

HASTA QUE UNA VEZ, DESPUÉS DE UNA DE LAS LLUVIAS, SE RESFRIÓ Y TUVO FIEBRE.

—¡TE DIJE QUE TE IBAS A ENFERMAR!

CUANDO SE CURÓ, FEDE Y SU MAMÁ SALIERON A COMPRAR UN PAR DE BOTAS DE GOMA Y UNA CAMPERA PARA LA LLUVIA, PARA ÉL Y PARA SU MAMÁ. LA SIGUIENTE LLUVIA, LOS DOS SALIERON AL PATIO, JUGARON Y SE RIERON UN BUEN RATO.

21

# CONFIANZA

A UN TIBURÓN DEL GOLFO DE MÉXICO LE DOLÍA UN DIENTE. ¡GRITABA COMO LOCO!

LOS PECES NADABAN FELICES SIN CORRER PELIGRO, PERO AL ESCUCHARLO QUEJARSE TRES DÍAS, LES DIO LÁSTIMA.

NADIE SE ANIMA A SACARLE EL DIENTE. ¿CÓMO ASEGURAR QUE LUEGO NO TE DEVORE?

UN CALAMAR MUY VALIENTE LE DIJO AL TIBURÓN:

—VOY A AYUDARTE. ¿ME ASEGURAS QUE NO ME COMERÁS?

—TE LO ASEGURO —PROMETIÓ EL TIBURÓN LLORIQUEANDO.

EL CALAMAR SACÓ EL DIENTE LO MÁS RÁPIDO POSIBLE, SALIÓ DE LA BOCA Y FUE A ESCONDERSE DETRÁS DE UNA PIEDRA.

EL TIBURÓN LIBERADO DEL DOLOR LE DIJO AL CALAMAR:

—MERECES QUE TE COMA, POR DESCONFIADO.

POR SUERTE NO PUDO ENCONTRARLO.

# LOS OJOS DE LUCIANA

A LUCIANA LE CAMBIABAN DE COLOR LOS OJOS. UN DÍA
LOS TENÍA AZULES COMO UN MAR INMENSO Y PROFUNDO,
A VECES ERAN GRISES COMO EL COLOR DE LAS NUBES
CUANDO LLEGA UNA TORMENTA; OTRAS, LOS TENÍA
VERDOSOS COMO UN BOSQUE PERFUMADO.

POR LA MAÑANA SU MAMÁ LA DESPERTABA Y
LE DECÍA:

—¡MUÉSTRAME DE QUÉ COLOR TIENES LOS
OJOS HOY!

SI ESTABAN AZULES, ESE DÍA LUCIANA
SE QUEDARÍA EN SILENCIO, LEYENDO
O ESCUCHANDO MÚSICA.

SI SUS OJOS ESTABAN GRISES, HABRÍA QUE HACER
UN GRAN ESFUERZO PARA QUE EL LLANTO NO
OPACARA SU SONRISA.

EL DÍA EN QUE AMANECÍA CON SUS OJOS
VERDOSOS, ERA ESPECIAL PARA IR A LA PLAZA,
JUGAR TODO EL DÍA, INVENTAR HISTORIAS Y
REÍRSE MUCHO.

23

# DISCUSIÓN

EN EL CAJÓN DE LOS CUBIERTOS HUBO UNA DISCUSIÓN.
—¡LOS CUCHILLOS CORTAN TALLARINES Y UNA CUCHARITA UNA TORTA! ¡UN TENEDOR PARA COMER COMPOTA! ¡NO SABEN TRABAJAR!
ASÍ DECÍA LA CUCHARA, RELIQUIA DE LA CASA.
—¡SEÑORA, NO MOLESTE! —LE CONTESTÓ UN TENEDOR.
EL CUCHILLO HABLÓ CON LOS CUBIERTOS Y DECIDIERON CAMBIAR LAS COSAS.
—¡AY, SEÑORA CUCHARA!, USTED QUE TIENE EXPERIENCIA, ¿LES PODRÍA ENSEÑAR A LAS CUCHARITAS A REVOLVER EL CAFÉ? —LE DIJO EL CUCHILLO.
EL TENEDOR AGREGÓ:
—¿USTED PODRÍA ENSEÑARME QUÉ HACER EN LA MESA?
—¡CUÉNTENOS CÓMO ERAN ANTES LAS CENAS! —PIDIERON LAS CUCHARITAS.
LA VIEJA CUCHARA SONRIÓ.
DESDE ESE DÍA, ES LA QUE LES ENSEÑA QUÉ HACER EN LA MESA A TODOS LOS CUBIERTOS.

24

# MELOCOTÓN

MELOCOTÓN ES UN GATO QUE NACIÓ EN LA CALLE, Y SIEMPRE ANDUVO
HAMBRIENTO, SOLITARIO Y SIN NOMBRE. POR LAS NOCHES LE GUSTABA MIRAR
LA LUNA. "¡QUÉ BLANCURA! ¡QUÉ CURVAS!", PENSABA. UNA NOCHE, MIENTRAS
BUSCABA DÓNDE DORMIR, VIO OTRA LUNA DETRÁS DE LAS REJAS DE UNA CASA.
LA MISMA BLANCURA, LAS MISMAS CURVAS. "¿OTRA LUNA EN LA CIUDAD?",
PENSÓ. PERO ESTA LUNA DESARMÓ SU REDONDEZ DESPEREZÁNDOSE Y LE DIJO:

—HOLA, MI NOMBRE ES LUNA. ¿Y EL TUYO?

—NO TENGO NOMBRE —CONTESTÓ CON LOS OJOS GRANDES.

—TE LLAMARÁS MELOCOTÓN. SI VIENES CONMIGO
NO TE FALTARÁ COMIDA Y UNA MANTITA
PARA DORMIR —DIJO LUNA.
MELOCOTÓN SALTÓ LAS REJAS
Y NUNCA MÁS NECESITÓ ALZAR
LOS OJOS PARA MIRAR LA LUNA.

25

# UN INVIERNO EMPECINADO

HABÍA LLEGADO EL TIEMPO EN QUE EL INVIERNO SE FUERA
Y LLEGASE LA PRIMAVERA. PERO EL FRÍO NO QUERÍA IRSE.
LAS PLAZAS LE REGALARON RAMOS DE FLORES; EL VIENTO,
LOS MEJORES AROMAS, LAS NUBES SE VOLVIERON CLARAS
Y ALGUNAS CASI TRANSPARENTES.
PERO EL INVIERNO ESTABA EMPECINADO Y
RETENÍA EL FRÍO EN EL AIRE.
LOS PÁJAROS SE ACURRUCABAN EN SUS NIDOS
Y LOS NIÑOS REFUNFUÑABAN PORQUE NO PODÍAN
IR A LA PLAZA A JUGAR.
FINALMENTE SE COMPADECIÓ DE ELLOS,
PERO CON UNA SENTENCIA:
—¡CUANDO ME TOQUE EL TIEMPO DE VOLVER,
NO QUIERO VERLOS CON MALA CARA!

26

# LA RISA DEL MONSTRUO

UN MONSTRUO DE ESOS TERRIBLES, CON SEIS MANOS Y TRES OJOS, QUE TIENEN LA PIEL PEGAJOSA Y PESA CIENTOS DE KILOS, LLEGÓ AL PUEBLO.

ERA MUY COMILÓN. YA SE HABÍA DEVORADO TRES ÁRBOLES DE LA AVENIDA, CUATRO AUTOS, LA COMISARÍA Y UNA OFICINA DE IMPUESTOS.

—¡QUÉ VAMOS A HACER PARA DEFENDERNOS! —DIJERON LOS POBLADORES Y SE REUNIERON EN ASAMBLEA. NO FALTÓ LA BRUJA QUE RECOMENDÓ VARIOS HECHIZOS.

RICARDITO Y FRAN, DOS NIÑOS QUE NO SABÍAN LO QUE PASABA, SE FUERON AL PARQUE Y SE PUSIERON A CONTAR CHISTES. EL MONSTRUO QUISO ESCUCHAR LO QUE DECÍAN.

EMPEZÓ A REÍRSE CON TANTAS GANAS QUE TUVO QUE ALEJARSE DEL PUEBLO PARA PODER RESPIRAR.

# EL CUERVO Y LA COTORRA

CUANDO LLEGA LA PRIMAVERA TODOS LAS AVES SE REÚNEN
PARA FESTEJAR. ALETEAN Y TRINAN FELICES HASTA QUE SALE EL SOL.
LUEGO, VUELVEN A SUS NIDOS MÁS BRILLANTES Y COLORIDOS.
EL CUERVO NUNCA ASISTE, LE DA VERGÜENZA SU COLOR NEGRO
QUE NO SE PARECE EN NADA A LOS COLORES DE LA PRIMAVERA.
UNA COTORRA SE DA CUENTA DE LO QUE PASA.
LA PRIMAVERA SIGUIENTE LO INVITA CON TANTA INSISTENCIA,
QUE EL CUERVO NO PUEDE NEGARSE.
CUANDO EL SOL SE ASOMA, LA COTORRA LE DICE AL CUERVO:
—¿VES CÓMO BRILLA TU PLUMAJE CON EL SOL?
EL CUERVO ENTONCES VUELVE A SU NIDO FELIZ.
DESDE ENTONCES, ES EL PRIMERO
EN FESTEJAR LA PRIMAVERA.

28

# JUANCITO

CADA MAÑANA LAS FLORES INVITAN A JUGAR AL VIENTO
Y AL SOL. JUEGAN UN RATO TODOS LOS DÍAS; A VECES
TANTO QUE PIERDEN ALGÚN PÉTALO O QUEDAN UN POCO
CHAMUSCADAS.

NO LES IMPORTA. LES GUSTA BAILAR CON EL VIENTO
Y BRILLAR CON EL SOL.

JUANCITO HACE LO MISMO: SE LEVANTA A LA MAÑANA
Y SALE A JUGAR CON LA PELOTA, CON EL SOL Y EL VIENTO EN
LA CARA. A VECES SE LASTIMA LA RODILLA O EL CODO,
PERO NO LE IMPORTA: ÉL QUIERE JUGAR.

A VECES CAMBIA DE JUEGO Y DEBAJO DE UN ÁRBOL SE PONE A
LEER O INVESTIGA CON UNA LUPA TODO LO QUE ENCUENTRA
EN EL SUELO.

JUANCITO JUEGA TODO EL DÍA, ES COMO LAS FLORES.
¿O LAS FLORES SERÁN COMO LOS NIÑOS?

# DIENTES DE TIBURÓN

AL HIJO DEL TIBURÓN MÁS FEROZ DE TODOS LOS OCÉANOS NUNCA LE CRECIERON LOS DIENTES. EL PAPÁ NO PODÍA EVITAR QUE LOS DEMÁS TIBURONES SE BURLARAN DE SU HIJO. EL TIBURONCITO NO SE DABA CUENTA, LE GUSTABA HACER PIRUETAS Y JUGAR A LAS ESCONDIDAS EN EL FONDO DEL MAR. SU PAPÁ LE TENÍA QUE HACER PAPILLAS Y LICUADOS. PERO TIBURONCITO EMPEZÓ A VER QUE SUS AMIGOS COMÍAN SOLOS. UN DÍA QUISO PROBAR, PERO AL NO TENER DIENTES, LOS PECES SE LE ESCAPABAN DE LA BOCA. ENTONCES, BUSCÓ PECES PEQUEÑOS QUE PUDIERA TRAGAR ENTEROS. ¡UF! ¡TUVO QUE COMER UN MONTÓN PARA QUE SE LE PASARA EL HAMBRE! CUANDO EL PAPÁ LE OFRECIÓ UN LICUADO DE PULPO, EL TIBURONCITO LE DIJO ORGULLOSO:

—YO YA COMÍ SOLITO —Y SE FUE A JUGAR CON SUS AMIGOS.

# BARRILETE EN EL AIRE

ANDRÉS IBA TODOS LAS SEMANAS CON SUS AMIGOS A REMONTAR BARRILETES. INTENTABAN HACERLOS SUBIR AL CIELO LO MÁS ALTO POSIBLE.

CUANDO SU BARRILETE ESTABA EN CIELO, INVENTABA HISTORIAS, VISITABA PAISAJES CON SOLES DE OTROS COLORES, CONOCÍA GIGANTES, MONSTRUOS, ANIMALES EXTRAÑOS...

UNA TARDE, CON UN EMPUJÓN DEL VIENTO, EL BARRILETE Y ANDRÉS SE FUERON VOLANDO. LOS CHICOS PENSARON QUE HABÍA VUELTO A SU CASA.

CUANDO ANOCHECÍA Y SUS PADRES YA ESTABAN PREOCUPADOS, LLEGÓ ANDRÉS CON SU BARRILETE EN LA MANO. TENÍA UNA SONRISA HERMOSA, NO DIJO MUCHO.

—DISCULPEN, SE ME FUE LA HORA.

31

# BRUJAS

LAS BRUJAS TIENEN MALA FAMA. EN LOS CUENTOS APARECEN ECHANDO
MALDICIONES, HACIENDO PÓCIMAS PARA DAÑAR A ALGUIEN
O VOLANDO EN UNA ESCOBA VIEJA.
PERO LA VECINA DE LEILA ES BRUJA, DE ESO NO HAY DUDA.
NO VIAJA EN ESCOBA, SE QUEDA EN LA CASA
CANTANDO TODO EL DÍA, TAMPOCO HACE PÓCIMAS,
TODA LA COMIDA LA COMPRA HECHA,
NO SABE LO QUE ES UNA OLLA NI ENCENDER LA COCINA.
LEILA TAMPOCO LA VIO ECHAR MALDICIONES.
SIN EMBARGO, NO DUDA DE QUE ES UNA BRUJA.
TIENE UN GRANO EN LA NARIZ CON TRES PELOS,
LAS UÑAS LARGUÍSIMAS, LE FALTAN DOS DIENTES,
USA UN SOMBRERO ROTO,
Y ES TAN PERO TAN FEA QUE EN CUANTO ESTÁ CERCA,
LEILA SALE CORRIENDO, ECHANDO MALDICIONES.
¿SERÁ ELLA LA BRUJA?

# AVENTURA

CON DOS SALTITOS LIGEROS, AYUDADOS POR EL VIENTO,
SE FUERON HASTA EL MAR CINCO GRANITOS DE ARENA.
HACÍA TIEMPO QUE QUERÍAN DISFRUTAR DEL AGUA FRESCA
DEL VERANO. ESTABAN LEJOS Y NUNCA PODÍAN TOCAR LA
ESPUMA SIQUIERA. PERO CUANDO LAS BURBUJAS BLANCAS
CUBRIERON SUS CARAS Y EL MAR SU CUERPO ENTERO,
DIJERON:
—¡UY! ¡QUÉ FRÍA ESTÁ! MEJOR VOLVAMOS A LA PLAYA.
SE DEJARON ARRASTRAR POR LAS OLAS HASTA QUE LA
ESPUMA NO PUDO TOCAR SU CUERPO.
ESTUVIERON TIRITANDO HASTA QUE EL
CALOR DEL SOL LES SACÓ EL FRÍO Y
SE SINTIERON A SALVO.

# UNA ESTRELLA PERDIDA

UNA DÍA UNA ESTRELLA SE DISTRAJO Y SE CAYÓ DEL CIELO.
TUVO MIEDO, PENSÓ QUE LOS HOMBRES LA CORTARÍAN EN
PEDACITOS PARA SABER DE QUÉ ESTABA HECHA.
LAS OTRAS ESTRELLAS NO SE HABÍAN DADO CUENTA
DE QUE ELLA NO ESTABA.
CUANDO LO ADVIRTIERON YA AMANECÍA. LA BUSCARON EN
LA TIERRA, PERO EL SOL NO LES DEJABA VER NADA.
AL OSCURECER ACUDIERON A RESCATARLA. ESA NOCHE
HUBO UNA LLUVIA DE ESTRELLAS EN EL CIELO.
NADA LE HABÍA PASADO A LA ESTRELLA DISTRAÍDA Y PUDO
SUBIR AL CIELO CON SUS AMIGAS.
LA ESTRELLA HABÍA CAÍDO EN EL PATIO DE LUIS, UN NIÑO
CIEGO, QUE, DESDE ESE DÍA ESTUVO
MÁS ALEGRE QUE NUNCA.
NADIE SUPO POR QUÉ.

# EL PERRO SALCHICHA

LIONEL TIENE UN PERRO POINTER QUE SE LLAMA TOM, UN ANIMAL ÁGIL Y RÁPIDO. UNA SEMANA ATRÁS, LE REGALARON UN PERRO SALCHICHA DE UNOS POCOS MESES. DECIDIÓ LLAMARLO TOMI PORQUE ES COMO TOM, PERO MÁS CHIQUITO.

TOMI SIEMPRE MIRA A TOM COMO EL PERRO QUE QUIERE SER Y PIENSA QUE SI COME MUCHO SERÁ COMO ÉL.

EL TIEMPO PASA Y TOMI SE VUELVE LARGO, PERO SU ESTATURA NO CAMBIA MUCHO.

TODAS LAS TARDES LIONEL LLEVA A TOMI A LA PLAZA. ANTES DE SALIR LE DICE A TOM:

—NO PUEDO LLEVARTE, ERES MUY GRANDE.

EN SUS PASEOS POR LA PLAZA EL PERRITO SE DA CUENTA DE QUE HAY PERROS GRANDES, CHICOS, GORDOS Y FLACOS, CON PELO LARGO Y CON PELO CORTO.

AHORA TOMI QUIERE SER TOMI.

# ELENA

TODAS LAS TARDES ELENA SE SIENTA EN UN BANCO DE LA PLAZA Y AL RATITO UN PÁJARO PEQUEÑO DE PLUMAS TORNASOLADAS BAJA DEL ÁRBOL Y SE QUEDA SOBRE EL BANCO CERQUITA DE ELLA.

ELENA ESTÁ SIEMPRE CON UN LIBRO EN LA MANO. PASA UN LARGO RATO LEYENDO HISTORIAS DE ANIMALES Y DE MUNDOS EXTRAÑOS.

LUEGO CIERRA EL LIBRO Y MIRA AL PÁJARO QUE ESTUVO QUIETO, COMO ESCUCHÁNDOLA. ÉL TAMBIÉN LA MIRA LARGAMENTE, LUEGO AGITA SUS ALAS Y VUELA. ELENA NO SABE QUE LE GUSTAN LOS CUENTOS, PERO DISFRUTA SU COMPAÑÍA.

PASAN LAS SEMANAS Y LA HISTORIA SE REPITE, HASTA QUE, AL MES, LUEGO DE LEER, EXTIENDE SU MANO Y EL PÁJARO SE DEJA ACARICIAR. UN TIEMPO DESPUÉS, ESCUCHA A ELENA LEER SUS CUENTOS EN SU HOMBRO.

# ARCOÍRIS

LA LLUVIA ES UNA SEÑORA QUE CANTA MIENTRAS LLORA. SU MELODÍA PUEDE SER UN TINTINEAR SOBRE LAS VEREDAS, UN RUGIDO ENLOQUECIDO, O UNA CANCIÓN QUE NO CESA EN DÍAS Y DÍAS.

POR ESO CUANDO LLUEVE LAS RANAS SALEN CON SU MELODÍA DESAFINADA.

QUIEREN QUE EL CIELO SE CANSE DE SU CANTO Y LE PIDA AYUDA AL SOL PARA QUE LA LLUVIA SE VAYA.

PARECE QUE ÉL SABE CONSOLARLA, LA ABRAZA TIBIAMENTE Y LA INVITA A DIBUJAR CON LÁPICES DE COLORES EN EL CIELO. JUNTOS HACEN UN ARCOÍRIS. ENTONCES LA LLUVIA SE CALMA, SE HACE LEVE, BLANCA Y SIGUE SU VIAJE.

SE QUEDA TRANQUILA PORQUE SABE QUE EL SOL SIEMPRE ESTARÁ ALLÍ PARA CONSOLARLA.

37

# DANZA DEL OTOÑO

DESPUÉS DE VARIAS PIRUETAS EN EL AIRE, LAS HOJAS CAEN DE LOS ÁRBOLES RIÉNDOSE PORQUE COMIENZAN UN VIAJE INTERMINABLE. ES LA PRIMERA VEZ QUE PUEDEN DESPRENDERSE DEL ÁRBOL Y CONOCER EL MUNDO. TRES PASITOS PARA ATRÁS Y DOS PARA ADELANTE, UNA RONDA Y UNA CARRERITA HASTA LA ESQUINA ¡A VER QUIÉN GANA! ¡CÓMO HACE BAILAR EL VIENTO A LAS HOJITAS DEL PARQUE! Y SE RÍEN SIN PENSAR A DÓNDE VAN, TODO ES NUEVO, HAY OTRO PAISAJE, OTROS COLORES, OTRAS VEREDAS Y OTRAS ESTRELLAS. ELLAS SABEN QUE NO VERÁN MÁS AL ÁRBOL DEL QUE NACIERON. ¡PERO QUIEREN VIAJAR! ALLÁ VAN, A CONOCER EL MUNDO.

# ESTRELLAS QUIETAS

UNA NOCHE, UNA ESTRELLA DEL CIELO SE BURLABA DE LAS LUCIÉRNAGAS.

—¡POBRES USTEDES! ¡QUÉ LUZ TAN PEQUEÑA TIENEN! MIREN CÓMO BRILLAMOS NOSOTRAS LAS ESTRELLAS. ESTAMOS TAN LEJOS Y SIN EMBARGO NUESTRA LUZ PUEDE VERSE DESDE LA TIERRA. A USTEDES NO SE LAS VE NI A CIEN METROS.

LAS LUCIÉRNAGAS SE SIENTIERON OFENDIDAS, ALGUNAS SE FUERON PARA NO SEGUIR OYÉNDOLA.

UNA LUCIÉRNAGA SINTIÓ TRISTEZA, PERO TAMBIÉN RABIA POR LAS PALABRAS ESCUCHADAS, ENTONCES DIJO A LA ESTRELLA:

—¡MIRA COMO NOSOTRAS VOLAMOS DE UN SITIO A OTRO! UN RATO EN LA LAGUNA Y OTRO RATO SOBRE LAS FLORES. ¡MUÉSTRAME SI TÚ PUEDES MOVERTE!

39

# DO RE MI

EN EL PENTAGRAMA PASAN COSAS COMO EN TODOS LADOS. DICEN QUE DO ESTÁ PERDIDAMENTE
ENAMORADO DE FA. DO SE LO NIEGA A TODOS LOS QUE LE PREGUNTAN.

—¿YO, ENAMORADO DE ALGUIEN QUE HABLA TAN FINITO? ¡NI LOCO!

FA DICE QUE ELLA NO SIENTE NADA, QUE CÓMO VA A QUERER A ALGUIEN QUE CUANDO HABLA PARECE
UN BULLDOG LADRANDO. LA VERDAD ES QUE ES MUY DIFÍCIL AMAR A ALGUIEN TAN DISTINTO Y QUE ESTÁ TAN
LEJOS. ¡Y CON TANTO RUIDO ENTRE ELLOS! SIN EMBARGO, EN ALGUNAS MELODÍAS, UNO PUEDE PERCIBIR QUE
DO Y FA SE ABRAZAN Y A VECES, SE ESCUCHA UN BESO.

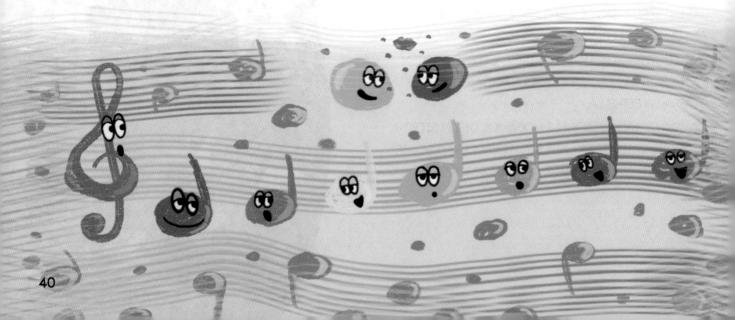

# EL GATO POLÍGLOTA

EL GATO FILOMENO, CANSADO DE HABLAR SIEMPRE EN IDIOMA GATUNO, DECIDIÓ UN DÍA COMENZAR A IMITAR LA VOZ DE OTROS ANIMALES.

LO PRIMERO QUE HIZO FUE OBSERVAR A BUQUI, EL PERRO. EN SOLEDAD, TRATÓ DE IMITAR SU LADRIDO.

EN LA CASA SE ESCUCHABA EL LADRIDO DE BUQUI EN EL PATIO Y EL PERRO ESTABA EN LA COCINA.

A LA SEMANA SIGUIENTE, APRENDIÓ A IMITAR AL LORO.

EN LA CASA ESTABAN TODOS DESORIENTADOS. FILOMENO SEGUÍA APRENDIENDO IDIOMAS. CONTENTO CON LOS RESULTADOS OBTENIDOS, EMPEZÓ A IMITAR LA VOZ DE RITA, LA NIÑA DE LA CASA, Y LA DE SUS PADRES.

LA FAMILIA ESTABA CANSADA. NO DORMÍAN BIEN Y SE SENTÍAN NERVIOSOS.

FILOMENO, COMO LOS QUERÍA MUCHO, DEJÓ DE IMITAR VOCES… POR UN TIEMPO.

41

# UNA ABEJA DECIDIDA

LA ABEJA REINA SE NEGABA A PONER HUEVOS.

—¡YO SOLO QUIERO LIBAR EL NÉCTAR DE LAS FLORES!

¡NO QUIERO TENER ABEJAS OBRERAS, NI ZÁNGANOS, NI PANAL!

—Y SIGUIÓ REFUNFUÑANDO—: ¡QUIÉN ME VA A OBLIGAR A HACER LO QUE NO QUIERO!

LAS ABEJAS DE OTRAS COLMENAS QUISIERON CONVENCERLA DE QUE LA SOBREVIVENCIA DE LA ESPECIE DEPENDÍA DE QUE ELLA CUMPLIERA CON SU DEBER COMO ABEJA REINA.

PERO NO LO LOGRARON.

UNA DÍA YA NO LA VIERON. SU HISTORIA QUEDÓ EN LOS PANALES COMO LA DE UNA ABEJA IRRESPONSABLE.

PERO LA ABEJITA, FELIZ DE HABER CONSEGUIDO SU LIBERTAD, ANDA LIBANDO FLORES Y DISFRUTANDO SUS AROMAS POR EL CAMPO.

# NUBES

LAS NUBES SON DE ESPUMA BLANCA. SE PASAN TODO EL DÍA JUGANDO EN EL CIELO, QUE ES COMO UNA PLAZA PARA ELLAS. LES GUSTA CORRER CARRERAS, INFLARSE COMO GLOBOS, HACER BURBUJAS, ESTIRARSE Y DESPEREZARSE OCUPANDO CASI TODO EL CIELO CELESTE. A VECES SE DIVIERTEN TAPÁNDOLE LOS OJOS AL SOL PARA QUE NO PUEDA VER.

JUEGAN TANTO QUE ALGUNAS NOCHES SE QUEDAN DORMIDAS Y AL OTRO DÍA NO APARECEN POR EL CIELO.

OTRAS VECES SUEÑAN ALGO FEO Y SE PONEN GRISES, PESADAS COMO EL PLOMO Y SE HINCHAN. EMPIEZAN A TRONAR FURIOSAS Y LUEGO DESCARGAN TODA SU FURIA CON SUS LÁGRIMAS. LLORAN UN RATITO, UNA TARDE ENTERA, UN DÍA, O DOS, O TRES SOBRE CAMPOS Y CIUDADES, HASTA QUE SE SIENTEN BIEN Y VUELVEN A JUGAR.

# MARA

HAY UNA NENA EN LA CUADRA DE LUCAS QUE SE LLAMA MARA. CADA VEZ QUE LA VE TIENE UNA ZAPATILLA ROJA Y OTRA BLANCA, UNA MEDIA AZUL Y OTRA VERDE Y EL PELO... HECHO UN NIDO DE PÁJAROS. TODOS LOS CHICOS DEL BARRIO SE LE BURLAN Y LAS CHICAS NO QUIEREN ACERCÁRSELE. UN DÍA LUCAS LA INVITÓ A LA PLAZA, ALLÍ SE ENTERÓ DE QUE RECITA POESÍAS QUE ÉL NO TENÍA IDEA DE QUE EXISTIERAN.
LUCAS ES MUY FELIZ CON MARA. SE LES VAN LAS HORAS LEYENDO EN LA PLAZA Y HABLANDO DE LO QUE LES GUSTA Y DE LO QUE SIENTEN. CADA VEZ QUE SE VEN SE SALUDAN RECITANDO UN NUEVO POEMA.

# SAPO GLOTÓN

EN LA ORILLA DE UNA LAGUNA TODOS MIRABAN A CURURÚ, UN SAPO JOVEN, RECIÉN LLEGADO. CURURÚ SE QUEDABA QUIETO AL BORDE DEL AGUA Y DESPUÉS DE UN RATO, COMO SI HUBIESE HALLADO ALGO EN LA LAGUNA, SE LANZABA PARA ATRAPARLO. LUEGO SALÍA, SE QUEDABA EN LA ORILLA HASTA QUE EL AGUA SE QUEDABA QUIETA Y VOLVÍA A LANZARSE Y A SALIR RÁPIDAMENTE.

ESTUVO VARIAS HORAS DE LA NOCHE HACIENDO LO MISMO. EL SAPO CON MÁS EXPERIENCIA DE LA LAGUNA SE ACERCÓ Y LE PREGUNTÓ:

—¿PUEDES CONTARME QUÉ ESTÁS HACIENDO?

—¡SÍ, POR SUPUESTO! —DIJO AMABLEMENTE Y PROSIGUIÓ—: ESTOY COMIÉNDOME LAS ESTRELLAS. CUANDO SE AQUIETA EL AGUA, ELIJO UNA Y ME ZAMBULLO PARA ATRAPARLA.

45

# WHAT

A LA VUELTA DE LA CASA DE BENJA VIVE UN PERRO QUE LADRA
EN INGLÉS. TODO EL DÍA LO ESCUCHA DESDE SU PATIO:
"WHAT, WHAT, WHAT".

LA FAMILIA QUE LO TIENE NO HABLA INGLÉS, BENJA
DISIMULADAMENTE SE LO PREGUNTÓ. SON DOS ANCIANOS
QUE CUIDAN LAS PLANTAS Y LEEN LOS DIARIOS, HUMILDES Y
TRABAJADORES. EL PERRO ES UN CHIHUAHUA, ESOS PERRITOS
CHIQUITITOS TEMBLOROSOS Y DE OJOS SALTONES. A BENJA LE
INTRIGA MUCHO POR QUÉ ESE PERRO LADRA EN INGLÉS,
Y SE LE OCURREN DOS RAZONES: LA PRIMERA ES QUE SE
ENAMORÓ DE UNA PERRITA YORKSHIRE Y LA LLAMA
TODO EL DÍA. LA SEGUNDA ES QUE SE QUIERE
HACER EL IMPORTANTE... COMO PARECE MÁS
UNA RATITA QUE UN PERRO DE VERDAD
SE CREERÁ QUE HABLAR INGLÉS
LO HACE MÁS IMPORTANTE.

46

# LOS DESEOS DE LA NIÑA

—¡ME GUSTARÍA SER VIENTO! —DIJO LA NIÑA.

EL MAGO DE LOS DESEOS LA ESCUCHÓ Y DE PRONTO SE SINTIÓ LIVIANA Y SALIÓ VOLANDO COMO UN BARRILETE.

—¡YA NO ME GUSTA! ¡NUNCA PUEDO DESCANSAR! ¡QUIERO SER UN ÁRBOL CON MUCHOS FRUTOS!

LOS BRAZOS DE LA NIÑA SE VOLVIERON RAMAS DE UN NARANJO COLMADO DE FRUTOS. QUISO MOVERSE Y SINTIÓ SU CUERPO ATRAPADO.

—¡YA NO ME GUSTA! ¡QUIERO SER PEZ Y NADAR POR LOS OCÉANOS EN LIBERTAD!

AHORA ESTABA EN EL MAR, EN MEDIO DE UN CARDUMEN, NADIE HABLABA, NI SE REÍA, NI JUGABA.

—¡YA NO ME GUSTA! ¡QUIERO JUGAR, SALTAR Y DESPERTAR EN MI CAMA CON EL ABRAZO DE MAMÁ!

—¡AY, ESTAS NIÑAS! —DIJO EL MAGO QUE, LUEGO DE DESHACER EL HECHIZO, SE FUE.

47

# EL REY LOCO

EL REY DE UN PAÍS DESCONOCIDO PEDÍA A SUS SÚBDITOS QUE TRABAJARAN EL DOMINGO Y DESCANSARAN EL RESTO DE LA SEMANA. ORDENABA HACERSE BAÑOS CON NARANJAS Y ALMORZAR CON LAS MANOS. MUCHAS ERAN LAS EXTRAVAGANCIAS DE ESTE REY. UN SABIO QUE PASABA POR EL REINO, AL VER LA ACTITUD DEL REY, QUISO AYUDARLO Y CURÓ SU LOCURA. EL REY, AHORA REPUESTO, QUISO ORDENAR EL CAOS EN QUE HABÍA HECHO VIVIR A SU PUEBLO. CUANDO LOS CONVOCÓ A LA PLAZA PARA CONTARLES CUÁLES ERAN LAS NUEVAS ÓRDENES, LOS POBLADORES SE ASOMBRARON Y PENSARON QUE ESTABA LOCO.

# UNA NOCHE

EL GRILLO MIRÓ CON MIEDO AL GATO, ¡TENÍA UNAS UÑAS!

EL GATO MIRÓ CON MIEDO AL PERRO, ¡AH, TENÍA UNOS DIENTES!

EL PERRO MIRÓ CON MIEDO AL HOMBRE, "¡ME VA A CASTIGAR PORQUE ESTOY LADRANDO!".

Y EL HOMBRE MIRÓ CON MIEDO A LA LUNA, "MMMH...LUNA LLENA, LUNA DE BRUJAS", PENSÓ.

LA LUNA LE DIO UN RAYITO DE LUZ MÁGICA AL GRILLO Y EL GRILLO EMPEZÓ A CANTAR UNA MELODÍA HECHA DE ALMÍBAR Y TERCIOPELO. AL GATO LE GUSTÓ TANTO LA CANCIÓN QUE SE PUSO A BAILAR CON PASOS DE BALLET. EL PERRO VIO AL GATO Y AL GRILLO TAN FELICES QUE SE PUSO A JUGAR CON ELLOS. EL HOMBRE EMPEZÓ A REÍRSE DEL JUEGO DE LOS ANIMALES Y AGRADECIÓ QUE LA LUNA LOS ILUMINARA PARA QUE ÉL PUDIERA DISFRUTAR DE ESE MOMENTO.

49

# UNA COTORRA ELEGANTE

UNA COTORRA VOLABA DE ÁRBOL EN ÁRBOL. SE POSABA EN UNA RAMA, MOVÍA LAS PLUMAS DE SU COLA Y SALÍA VOLANDO A OTRO ÁRBOL. ALLÍ DE NUEVO SE POSABA EN UNA RAMA, MOVÍA LAS PLUMAS DE SU COLA Y SALÍA VOLANDO. TANTAS VECES REPITIÓ LA CEREMONIA DE MOVER LAS PLUMAS SOBRE UNA RAMA Y SALIR VOLANDO HACIA OTRA, QUE EN UN MOMENTO UN GRUPO DE COTORRAS LE PREGUNTÓ:

—¿POR QUÉ VAS DE RAMA EN RAMA MOVIENDO TUS PLUMAS DE ESA MANERA?

—ES QUE AYER ME HICE AMIGA DE UNAS COTORRAS MUY FINAS Y ELEGANTES Y ME EXPLICARON QUE PARA SER COMO ELLAS TENÍA QUE MOVER MIS PLUMAS SOBRE LAS RAMAS DE CINCUENTA ÁRBOLES TODOS LOS DÍAS —DIJO CONVENCIDA LA COTORRA.

# LA BRUJA JUANA

LA BRUJA JUANA HACE FECHORÍAS CON SUS BRUJERÍAS, COLOCA CUCARACHAS DEBAJO DE LA CAMA Y HORMIGAS COLORADAS DENTRO DE LAS ALMOHADAS.

TRANSFORMA GATOS EN CACEROLAS Y FLOREROS EN PLUMEROS.

TODO EL PUEBLO ESTÁ CANSADO DE SUS BROMAS. INVESTIGARON Y DESCUBRIERON QUE CON FLORES Y SONRISAS SE ACABAN TODOS LOS HECHIZOS DE LAS BRUJAS.

DESDE ESE DÍA, CADA UNO QUE LA VEÍA LE DECÍA CON UNA GRAN SONRISA:

—¡BUENOS DÍAS, DOÑA JUANA, QUE LE VAYA MUY BIEN HOY! —Y LE REGALABA UNA ROSA.

—¿NO QUIERE QUE LA AYUDE, SEÑORA JUANA? —Y LE DABA UNA MARGARITA.

ASÍ LOGRARON QUE SE ACABARAN EN EL PUEBLO LOS CHISTES DE LA BRUJA.

51

# MIEDO A LO DESCONOCIDO

JULIETA LE TENÍA MIEDO A MUCHAS COSAS: LA NOCHE, LOS TRUENOS Y HASTA LOS PERROS.

SU MAMÁ SE PUSO A PENSAR CÓMO AYUDARLA. ENTONCES, UNA NOCHE, LA INVITÓ A JUGAR EN EL PATIO. SE RIERON JUNTAS CONTANDO HISTORIAS Y CANTANDO A OSCURAS. DURANTE LA SIGUIENTE TORMENTA LE CONTÓ UNA HISTORIA SOBRE LOS TAMBORES QUE SUENAN CUANDO LLUEVE. Y ESA MISMA SEMANA LE REGALÓ UN CACHORRITO.

ASÍ JULIETA FUE CONOCIENDO EL MUNDO Y PERDIENDO SUS MIEDOS.

# EL ÁRBOL CANTOR

CADA OTOÑO LOS ÁRBOLES DEL
PARQUE PIERDEN SUS HOJAS,
EL VIENTO SE LAS VA ARREBATANDO
SIN QUE PUEDAN HACER NADA.
SABEN LO QUE LES ESPERA.

LLEGARÁ EL INVIERNO Y QUEDARÁN DESNUDOS
Y MUERTOS DE FRÍO. NO VERÁN UN BROTE NI UNA FLOR
HASTA QUE LLEGUE LA PRIMAVERA.

EL PARQUE SE QUEDA SOLO. LOS CHICOS YA NO VAN A
JUGAR COMO LO HACÍAN EN EL VERANO. LOS PÁJAROS NO
CANTAN COMO EN LOS MESES ANTERIORES. LO ÚNICO QUE SE
ESCUCHA ES EL SONIDO DEL VIENTO Y EL SILENCIO FRÍO DE LA NOCHE.
EN ESE MOMENTO, EL PALO BORRACHO, CON SU CUERPO TOSCO LLENO
DE ESPINAS Y SU VOZ RONCA DE MADERA, EMPIEZA A CANTAR ALEGRES
MELODÍAS Y SE PONE A FLORECER HERMOSAS FLORES BLANCAS Y ROSADAS.

53

# LO QUE ESCRIBEN LOS CANGREJOS

LOS CANGREJOS EN LA ARENA ESCRIBEN CON SUS PATAS MENSAJES CON MALA LETRA.

A VECES SON VERSOS DE AMOR, PORQUE ESTÁN ENAMORADOS. OTRAS VECES ESCRIBEN HECHIZOS PARA LOS PECES, QUE SIEMPRE LOS QUIEREN COMER. NO FALTA EL DÍA EN QUE ESCRIBEN MALAS PALABRAS Y TAMBIÉN SECRETOS QUE NO SE PUEDEN CONTAR.

LAS ÚNICAS QUE SABEN LO QUE DICEN LOS MENSAJES DE LOS CANGREJOS SON LAS OLAS DEL MAR, QUE SE PREGUNTAN QUIÉN, CUÁNDO Y CÓMO LES ENSEÑÓ A ESCRIBIR A ESTOS ANIMALES QUE NO SABEN NI CAMINAR DERECHO.

CON UN BORRADOR DE ESPUMA DEJAN LA ARENA LISA PARA QUE NADIE PUEDA ADIVINAR LO QUE ESCRIBEN LOS CANGREJOS.

# CARICIAS, BESOS Y ABRAZOS

HABÍA UNA VEZ UNA CARICIA QUE ANDABA PERDIDA
POR LA CIUDAD SIN SABER QUIÉN ERA.

—¡ERES UNA ARAÑA QUE ARAÑA! —LE DIJO UN
MOSQUITO DESPACITO. ENTONCES LA CARICIA
VIO A UN NENE Y LO ARAÑÓ. PERO EL NENE SALIÓ
CORRIENDO.

—ERES UN PELLIZCÓN —LE DIJO UN PÁJARO GRITÓN.
LA CARICIA PELLIZCÓ AL PRIMER NIÑO QUE
ENCONTRÓ, Y ESTE SE PUSO A LLORAR. LA CARICIA YA
NO SABÍA QUÉ HACER. UN DÍA SE ENCONTRÓ CON
UN BESO QUE ANDABA SOLO Y CON UN ABRAZO
QUERIENDO HACER RONDAS CON LAS MANOS.
SE FUERON JUNTOS, CARICIA, BESO Y ABRAZO
A CONOCER EL MUNDO Y CUANDO SE
ENCONTRABAN CON ALGUIEN DECÍAN AL
MISMO TIEMPO:

—TE QUIERO CON TODO EL CORAZÓN.

55

## UNA BANDADA DE ROCK AND ROLL

EN LOS ÁRBOLES FRONDOSOS DE LA PLAZA MUCHOS PÁJAROS HACÍAN SUS NIDOS. A LA TARDE SE COLMABA DE TRINOS.

EN UNO DE LOS ÁRBOLES VIVÍA UNA FAMILIA DE MONTEROS PIQUIRROJOS. A UNO DE LOS PICHONES LE GUSTABA MUCHO CANTAR ROCK AND ROLL.

TODOS EN LA PLAZA TUVIERON PACIENCIA DURANTE UN TIEMPO. LUEGO EMPEZARON A QUEJARSE.

—¡CALLEN A ESE PÁJARO! —GRITARON LAS COTORRAS.

—¡MÁNDENLO DE VIAJE ASÍ NO LO ESCUCHAMOS! —PIDIERON LAS PALOMAS.

LA SEMANA SIGUIENTE, UNA COTORRA EMPEZÓ A MOVER LA CABECITA AL RITMO DE LA MÚSICA, UNAS PALOMAS, LA COLA, Y TODOS LOS GORRIONES SUS PATITAS ACOMPAÑANDO LA MELODÍA.

AL MES, TODOS LOS PÁJAROS DE LA PLAZA CANTABAN Y BAILABAN JUNTOS CADA ATARDECER.

# CUIDADO CON LO QUE DESEAS

UN ELEFANTE DE LA INDIA SUSPIRABA TODO EL DÍA PORQUE QUERÍA VIAJAR Y CONOCER OTROS PAISAJES.

SE QUEJABA:

—¡SI YO PUDIERA CONOCER ÁFRICA O EL BRASIL O LA CORDILLERA DE LOS ANDES! ¿CÓMO SERÁ VIVIR EN CUZCO?

SABÍA QUE EXISTÍAN ESOS LUGARES PORQUE ESCUCHABA LAS CONVERSACIONES DE LOS TURISTAS.

TAN GRANDE ERA SU DESEO DE VIAJAR QUE UNA NOCHE APARECIÓ FRENTE A ÉL AMUD, EL GRAN HECHICERO DE ELEFANTES.

—HE ESCUCHADO TU DESEO, DIME ADÓNDE QUIERES VIAJAR Y ALLÍ TE ENVIARÉ.

# CUIDADO CON LO QUE DESEAS *(CONTINUACIÓN)*

EL ELEFANTE DUDÓ, QUERÍA VIAJAR AL LUGAR MÁS REMOTO:
—¡A LA LUNA! —CONTESTÓ. NO TENDRÍA OTRA
OPORTUNIDAD PARA IR TAN LEJOS.
EN POCOS SEGUNDOS EL ELEFANTE SINTIÓ EL SILENCIO DEL
ESPACIO ESTELAR Y VIO QUE EL SUELO ERA BLANCO Y
RADIANTE. SU CORAZÓN LATÍA DE EMOCIÓN.
AL RECORRER EL ESPACIO LUNAR UN RATO,
SE DIO CUENTA DE QUE EXTRAÑABA LA LAGUNA EN LA
QUE SE BAÑABA, EL OLOR DE LA TIERRA QUE PISABA,
EL VIENTO, LA MANO TIBIA DEL SOL…
VIO QUE ESTABA VOLVIÉNDOSE BLANCO Y
QUE EN POCO TIEMPO SERÍA UN
TERRONCITO MÁS DE LA LUNA.

# CUIDADO CON LO QUE DESEAS *(CONTINUACIÓN Y FIN)*

LLORÓ TANTO, GRITÓ TAN FUERTE, QUE TODOS LOS ASTROS EMPEZARON A BUSCAR UNA SOLUCIÓN PARA EL ELEFANTE LUNAR.

RESOLVIERON QUE LO MEJOR SERÍA CONVOCAR A UN GRUPO DE ESTRELLAS QUE LO PUDIERA SOSTENER Y LLEVARLO AL LUGAR DE DONDE VINO.

EL ELEFANTE SE SINTIÓ FELIZ AL BAÑARSE OTRA VEZ EN LA LAGUNA DE SU INFANCIA. DESPUÉS DE UN TIEMPO PENSÓ QUE TODO HABÍA SIDO UN SUEÑO.

CUANDO EN LA NOCHE PUEDE VERSE UNA LLUVIA DE ESTRELLAS, ES PORQUE ALGÚN ANIMAL ESTÁ EN LA LUNA Y QUIERE REGRESAR.

59

# EL HADA DE LAS AVES

UN CANARIO, UN GORRIÓN Y UNA COTORRA
SE PUSIERON A CONVERSAR.

—¡CÓMO ME GUSTARÍA PODER VOLAR COMO
UN GORRIÓN! —SUSPIRÓ EL CANARIO EN SU JAULA.

—¡CÓMO ME GUSTARÍA TENER EL COLOR VERDE
DE LAS COTORRAS! —AGREGÓ EL GORRIÓN.

—¡A MÍ ME GUSTARÍA CANTAR COMO UN
CANARIO! —DIJO LA COTORRA.

EL HADA DE LAS AVES HIZO UN HECHIZO Y
CUMPLIÓ SUS DESEOS.

CUANDO VOLVIÓ A VISITARLOS, ESCUCHÓ:

—¡EL COLOR MARRÓN NO ME GUSTA! —SE QUEJABA EL CANARIO.

—¡CON ESTE RUIDO CONSTANTE NO SE PUEDE
VIVIR! —DECÍA EL GORRIÓN.

—¡YO NO PUEDO VIVIR EN ESTA JAULA! —REFUNFUÑABA EL LORO.

EL HADA DE LAS AVES, DESARMÓ EL HECHIZO Y LES DIJO:

—SI VUELVO A ESCUCHARLOS QUEJARSE,
¡LOS TRANSFORMO A TODOS EN INSECTOS!

# ¿A QUIÉN LE GUSTA LA LLUVIA?

LA LLUVIA ERA TORRENCIAL.

NADIE EN LAS CALLES. NADIE EN LAS PLAZAS
NI EN LOS PARQUES.

LOS CHICOS EN SUS CASAS, ENOJADOS,
O TRISTES, ESPERANDO QUE SALIERA EL SOL
PARA JUGAR CON SU PELOTA
O CON SUS PATINES.

EN EL JARDÍN DE LINA HABÍA CHARCOS SOBRE
EL CÉSPED DE TANTA AGUA QUE ESTABA
CAYENDO.

LA TORTUGA, ADENTRO DE SU CAPARAZÓN,
NO ASOMABA LA NARIZ, Y LOS CARACOLES,
EN SU CASITA, NO QUERÍAN
MOJARSE NI LAS ANTENAS.

SIN EMBARGO, LAS ENREDADERAS,
LOS ÁRBOLES Y LAS FLORES SE REÍAN EN
SU IDIOMA, SUSPIRABAN HONDO,
REVERDECIDOS Y FELICES
POR CADA GOTA LLUVIA.

61

# INSTINTO

UN MONO SOBRE UN PLÁTANO COMÍA UNA BANANA.

LLEGÓ UN TIGRE Y SE RECOSTÓ AL PIE DEL ÁRBOL.

EL MONO DESCONFIABA DEL TIGRE.

"¿NO QUERRÁ COMERME?", PENSABA.

SIN EMBARGO, EL MONO LE OFRECIÓ AL TIGRE UNA BANANA Y

DESDE ESE DÍA, TODAS LAS TARDES COMÍAN JUNTOS Y CONVERSABAN

SOBRE SUS AVENTURAS Y SE REÍAN MUCHO.

UNA TARDE, EL TIGRE LE DIJO AL MONO:

—¿POR QUÉ NO BAJAS DEL ÁRBOL? ¡ASÍ HABLAMOS FRENTE A FRENTE!

EL MONO ACEPTÓ, PERO SE APROXIMÓ CON MUCHA CAUTELA.

EN CUANTO ESTUVO CERCA EL TIGRE LE PEGÓ UN ZARPAZO.

EL MONO PUDO ESCAPAR Y AL ESTAR A SALVO LE DIJO:

—¡SE ACABARON LAS
BANANAS PARA TI!

# EL MONSTRUO DEL LAGO

MARTÍN Y JULIÁN SE FUERON DE CAMPAMENTO A UN LAGO CON SUS PAPÁS. RECORRIERON LOS ALREDEDORES JUNTANDO PIEDRITAS Y FLORES. POR LA NOCHE CENARON Y MIRARON LAS ESTRELLAS, HASTA QUE EL PAPÁ DIJO:

—¡TODOS A DORMIR! MAÑANA VAMOS A JUNTAR LEÑA.

CUANDO SUS PADRES ESTUVIERON DORMIDOS, LOS CHICOS FUERON A LA ORILLA DEL LAGO. SE DECÍA QUE ALLÍ VIVÍA UN MONSTRUO QUE RUGÍA POR LAS NOCHES.

LOS CHICOS DIERON UN SALTO CUANDO OYERON UN RUIDO.

—¡EL MONSTRUO! —GRITARON.

¡ERA LA VOZ DEL PAPÁ QUE LES PEDÍA QUE VOLVIERAN A LA CARPA!

# EL MIEDO DE TOMÁS

CINCO GATITOS VIVÍAN JUNTOS EN LA CASA DE LA ABUELA IRMA. TODOS ERAN DE PELO BRILLANTE Y SUAVE, OJOS GRANDES Y VERDES Y MUY JUGUETONES. UNO DE ELLOS, TOMÁS, EL ÚNICO DE COLOR NEGRO, ERA TAN TEMEROSO, QUE NO SE DEJABA VER POR NADIE, SIEMPRE ESTABA ESCONDIDO EN ALGÚN RINCÓN. JUGABA CON SUS HERMANOS ÚNICAMENTE CUANDO CAÍA LA NOCHE Y NADIE PODÍA VERLO.

LLEGÓ EL DÍA EN QUE SUS HERMANOS SE INQUIETARON POR LA CONDUCTA DE TOMÁS PORQUE, A MEDIDA QUE CRECÍA, TENÍA MÁS MIEDO.

—¿A QUÉ LE TEMES TANTO, TOMÁS? ¿POR QUÉ PERMANECES ESCONDIDO TODO EL DÍA?

TOMÁS CONTESTÓ, VIGILANDO QUE NADIE LO VIERA:

—TENGO MIEDO DE QUE ALGUIEN ME CONFUNDA CON UNA PANTERA Y ME LLEVE A UN ZOOLÓGICO.

# LAS TRAMPAS DE JULIA

JULIA, QUE TIENE NUEVE AÑOS, LE DIJO A MIRANDA, SU HERMANITA DE CINCO:

—TE PRESTO MIS JUGUETES MIENTRAS YO VOY A LA ESCUELA. PUEDES
JUGAR CON TODOS, MENOS CON LA MUÑECA QUE ME REGALÓ
LA ABUELA HACE TRES AÑOS PORQUE, AUNQUE SEA VIEJITA,
YO LA QUIERO MUCHO.

AL REGRESAR, JULIA VIO QUE A SU
MUÑECA LE FALTABA UN BRAZO, TENÍA
LA CARA ESCRITA CON FIBRAS DE
COLORES Y TODA SU ROPITA ROTA.
AL VERLA EN ESE ESTADO, JULIA
SONRIÓ SIN QUE NADIE LA VIERA
Y FUE A CONTARLE A SU MAMÁ:

—¡MIRANDA ME ROMPIÓ MI
MUÑECA! ¿ME COMPRARÍAS OTRA?
YO VI UNA EN LA TIENDA QUE ESTÁ
CERCA DE LA ESCUELA QUE
ME GUSTA MUCHO…

65

# AGUSTÍN Y LAS CARRERAS

LOS NIÑOS DE LA CUADRA SE PASABAN TODAS LAS TARDES CORRIENDO DE UNA ESQUINA A LA OTRA.

DANTE ERA EL MÁS RÁPIDO; ¡TENÍA UNOS MÚSCULOS EN LAS PIERNAS…! PABLO TAMBIÉN GANABA ALGUNAS VECES PORQUE ERA MUY ÁGIL.

AGUSTÍN NO GANABA NUNCA, ERA DELGADO Y TENÍA ASMA.

—¡NUNCA VOY A GANAR UNA CARRERA! —DECÍA A SUS PADRES Y SE PONÍA MUY TRISTE.

SU PAPÁ LE PREGUNTÓ ENTONCES:

—¿QUÉ TE INTERESA MÁS: GANAR O DIVERTIRTE? ¿QUÉ DISFRUTAS ADEMÁS DE HACER CARRERAS?

AGUSTÍN, LUEGO DE PENSAR UN RATO, LE RESPONDIÓ:

—ME GUSTA HACER CHOZAS EN LOS ÁRBOLES Y CASAS CON CAJITAS Y CON BARRO.

DESPUÉS DE MUCHOS AÑOS, AGUSTÍN FUE QUIEN CONSTRUYÓ LA CASA DE DANTE, DE PABLO Y DE MUCHAS OTRAS PERSONAS.

66

# DISCUSIÓN EN LA PLAZA

LOS ANIMALES Y LAS PLANTAS DE LA PLAZA PRESUMÍAN DE SUS CUALIDADES. EL VIEJO ROBLE, DE HABER SIDO EL PRIMERO; EL JACARANDÁ, DE SU MAR LILA DE FLORES; LOS PÁJAROS, DE SUS CANTOS; LOS JAZMINES, DE SU AROMA CUANDO FLORECÍAN.

VIENDO QUE LA DISCUSIÓN NO ACABABA, EL SOL LOS ACARICIÓ PARA QUE SE CALMARAN.

—MAÑANA, FRESCOS POR EL ROCÍO, SE OLVIDARÁN DE ESTA DISCUSIÓN —LES DIJO ANTES DE IRSE ÉL A DORMIR.

# GERMÁN Y LA SOPA

GERMÁN HABLABA CASI SUSURRANDO. UNA NOCHE ESTABA CENANDO JUNTO A SUS PADRES Y SU ABUELA, QUIEN HABÍA PREPARADO UNA RICA SOPA. GERMÁN CON SU VOZ PEQUEÑITA DIJO A SU MAMÁ:

—QUIERO MÁS SOPA.

EL PADRE, COMO NO LOGRÓ ESCUCHAR, LE PREGUNTÓ A SU ESPOSA Y ELLA RESPONDIÓ:

—PREGUNTA QUÉ TIENE LA SOPA.

LA ABUELA ESTABA EN LA COCINA Y PREGUNTÓ QUÉ HABÍA DICHO EL NIÑO.

—DIJO QUE NO LE GUSTÓ LA SOPA —CONTESTÓ EL PADRE.

EN LA COCINA SE OYÓ RUIDO DE CACEROLAS Y PLATOS, Y A LA ABUELA REFUNFUÑANDO. GERMÁN FUE A LA COCINA Y LE DIJO A SU ABUELA:

—¿ME DAS MÁS SOPA?

—ASÍ ME GUSTA, NIÑO, QUE TE ARREPIENTAS CUANDO OFENDES CON TUS PALABRAS —DIJO LA ABUELA Y LE SIRVIÓ UN POCO MÁS DE SOPA.

# EL ÁGUILA Y EL CONEJO

EL SOL YA HABÍA SALIDO Y EL ÁGUILA PLANEABA BAJITO
BUSCANDO SU ALIMENTO. DE PRONTO VIO UN CONEJO BLANCO
Y GORDITO EN UNA HUERTA. SE LANZÓ EN PICADA Y LO AGARRÓ
CON EL PICO.

ATERRADO, EL CONEJO EMPEZÓ A HABLAR CON SU CAPTOR.

—¿SABES QUE CONOZCO A TUS HERMANAS? ¡QUÉ BUENAS
AVES SON!

AL ÁGUILA SE LE HENCHÍA EL PECHO.

 —Y TAMBIÉN ESTUVE CON TUS PADRES. ¡QUÉ GENTILES! ME DIERON
UNA ZANAHORIA.

ENTRETENIDA CON LO QUE EL CONEJO LE DECÍA, EL ÁGUILA NO
LEVANTABA EL VUELO.

—PERO ESTOY SEGURO DE QUE NADIE ES MÁS
LISTO QUE TÚ —AGREGÓ EL CONEJITO.

—¡CLARO! —EXCLAMÓ EL ÁGUILA.

¡PERO PARA DECIRLO HABÍA ABIERTO EL PICO!
EL CONEJO CAYÓ SOBRE UNA PARVA DE PAJA
SIN LASTIMARSE Y HUYÓ CONTENTO.

# LA VARITA DEL REY

EL REY DE UN PAÍS LEJANO TENÍA UNA VARITA MÁGICA.
PODÍA HACER QUE EL AGUA FUERA HUMO Y QUE UN
PERRO SE VOLVIERA CAMELLO.
TODAS LAS MAÑANAS RECORRÍA LA COMARCA
HACIENDO MAGIA.
—¡QUE TODAS LAS CASAS SEAN DE PIEDRAS PRECIOSAS!
ENTONCES TODOS CELEBRABAN.
—¡QUE TODOS LOS POBLADORES SEAN CABRAS!
Y EL BALIDO SE ESCUCHABA EN TODO EL PUEBLO.
CANSADOS DE LAS BROMAS, LA GENTE DEL LUGAR
DECIDIÓ ROBAR LA VARITA MÁGICA Y USARLA CON EL REY.
—¡SERÁS UNA SERPIENTE! —DIJO EL HECHICERO.
—¡LAS MONTAÑAS SERÁN DE ORO! —SENTENCIÓ EL
AMBICIOSO.
—¡SERÁS UN REY BONDADOSO! —EXPRESÓ EL SABIO.
LUEGO DEL HECHIZO DEL SABIO TODOS ESTUVIERON
CONFORMES Y DECIDIERON DESTRUIR LA VARITA.

# UNA FAMILIA FELIZ

LA PERRA LOLA HABÍA TENIDO CRÍA UNA SEMANA ATRÁS. UN DÍA CUANDO DABA DE MAMAR A SUS SEIS CACHORRITOS, LISA, SU DUEÑA, TRAJO UN GATITO PARA QUE LO ALIMENTARA.

A LOLA LE RESULTÓ MUY RARO, ESE ANIMAL NO SE PARECÍA EN NADA A ELLA.

LO OLFATEÓ UN RATO, LUEGO CON LA NARIZ CORRIÓ DE LUGAR A SU CACHORRO MÁS GORDITO Y PUSO AL RECIÉN LLEGADO A TOMAR SU LECHE.

MIENTRAS IBAN CRECIENDO, LOS SIETE CACHORROS JUGABAN, COMÍAN Y DORMÍAN JUNTOS.

LO QUE MÁS LES GUSTABA ERA CORRERSE ENTRE ELLOS HASTA ATRAPARSE Y MORDISQUEARSE UN RATO. EL GRAN DESAFÍO ERA ATRAPAR AL GATO, QUE, CUANDO SE VEÍA EN APUROS, SE SUBÍA A UN LIMONERO.

# EL PASATIEMPOS DE AUGUSTA

AGUSTA SE SENTABA TODOS LOS DÍAS EN EL SILLÓN HAMACA DE LA SALA, CERCA DE LA ESTUFA, Y TEJÍA. VARIAS HORAS AL DÍA TEJÍA BUFANDAS DE TODOS COLORES, AZULES PARA SUS HIJOS, AMARILLAS PARA SUS NIETOS, VERDE PARA EL COLECTIVERO QUE YA CONOCÍA POR SU NOMBRE, ROJA PARA EL VECINO QUE LE BARRÍA LA VEREDA, BLANCA PARA MARISOL QUE LA AYUDABA A LIMPIAR LA CASA, MARRÓN PARA EL ALMACENERO QUE LE VENDÍA SUS MEJORES PRODUCTOS.

TEJÍA TODO EL OTOÑO Y EL INVIERNO.

—YA TERMINÉ —DIJO UN DÍA Y GUARDÓ LAS LANAS Y LAS AGUJAS EN UN CAJÓN.

A LA MAÑANA SIGUIENTE AGUSTA ESTUVO MIRANDO RECETAS DE MERMELADAS. ESE DÍA HIZO CINCO FRASCOS DE MERMELADA DE FRUTILLAS.

# EN LA LAGUNA

UNA RANITA SE PUSO ZAPATOS, PULSERA Y SOMBRERO, Y SE FUE A TOMAR SOL A LA ORILLA DE LA LAGUNA.

UN SAPO SE TIRÓ AL AGUA Y LA RANITA QUEDÓ EMPAPADA.

—¡FÍJATE LO QUE HAS HECHO! —LE DIJO ENOJADA. TOMÓ SU SOMBRERO Y SE VOLVIÓ A SU CASA.

EL SAPO FUE A LA CASA CON UN RAMO DE FLORES Y LE DIJO:

—DISCÚLPAME, NO QUISE MOJARTE.

—LAS FLORES ME DAN ALERGIA —DIJO ELLA Y CERRÓ LA PUERTA.

ESA TARDE, EL SAPO ESTABA PENSATIVO EN LA ORILLA DE LA LAGUNA Y DE PRONTO QUEDÓ EMPAPADO. ¡LA RANITA SE HABÍA TIRADO DE PANZA EN LA LAGUNA!

EL SAPO SE TIRÓ AL AGUA. JUGARON JUNTOS TODA LA TARDE Y EL RESTO DE LOS DÍAS DE ESE VERANO.

73

# GASTÓN, EL TERCO

GASTÓN ERA UN NIÑO MUY TERCO. CUANDO TENÍA UNA IDEA NO HABÍA QUIÉN PUDIERA SACÁRSELA DE LA CABEZA.

—¡YO QUIERO COMER MERMELADA CON SALAME!

LUEGO TENÍA DOLOR DE PANZA, PERO NO SE QUEJABA.

—¡ME PONGO EL PANTALÓN GRIS! —INSISTÍA.

—MI AMOR, ES VERANO Y ESTE PANTALÓN ES DE INVIERNO —LE DECÍA LA MAMÁ.

—¡YO QUIERO EL GRIS! —Y AUNQUE TRANSPIRABA, NO SE QUEJABA.

— ¿VAMOS AL CINE, GASTÓN? —LE PROPONÍA LA MAMÁ.

Y GASTÓN CONTESTABA:

—¡NO TENGO GANAS! —Y SE QUEDABA JUGANDO CON LA COMPUTADORA.

DESPUÉS DE PERDERSE UNAS CUANTAS PELÍCULAS, SUFRIR VARIOS DOLORES DE PANZA Y CALORES INSOPORTABLES, GASTÓN ENTENDIÓ QUE ESCUCHAR A SU MAMÁ ERA BENEFICIOSO.

# BOBI LADRA

EL PERRO DE LUCÍA NO PARABA DE LADRAR. LA MAMÁ Y EL PAPÁ SE
FIJARON BIEN Y TODO ESTABA EN SU LUGAR. EL LIMONERO CON SUS
LIMONES. LOS JAZMINES FLORECIDOS Y LA TORTUGA DANDO VUELTAS.
PERO LUCÍA SE DIO CUENTA ENSEGUIDA, LOS CHICOS SE ENTIENDEN
CON LOS PERROS. EN UN RINCÓN, CUBIERTA POR LAS PLANTAS, ESTABA LA
PELOTA DE BOBI. LUCÍA CORRIÓ LA ENREDADERA Y SE ESTIRÓ
PARA RESCATAR EL JUGUETE PREFERIDO DE SU PERRO.
¡JUGARON TODA LA TARDE!

75

## LLEGAR AL MAR

UN BARQUITO DE PAPEL QUISO CONOCER EL MAR.
UN GRILLO DE TIMONEL, UN SALTAMONTES EN LA POPA
Y UN ESCARABAJO EN LA PROA LO ACOMPAÑARON
SIN DUDARLO UN INSTANTE.
—¡CÓMO SERÁ EL MAR! —SUSPIRABAN LOS CUATRO.
PARTIERON DESPUÉS DE LA LLUVIA Y NAVEGARON
TRES CALLES. EL BARQUITO AUMENTABA LA
VELOCIDAD METRO A METRO.
LLEGARON POR FIN A UNA ESQUINA DONDE
HABÍA UN MAR DE AGUA.
LOS TRES NAVEGANTES Y EL BARCO DE PAPEL
ABRIERON GRANDES LOS OJOS Y LA BOCA,
NO PODÍAN MÁS DE LA ALEGRÍA.
—¡EL MAR! ¡EL MAR! ¡LLEGAMOS AL MAR!

# EL LENGUAJE DE LOS ÁRBOLES

MARIO LE PREGUNTÓ A SU ABUELO:

—¿HABLAN LOS ÁRBOLES?

—YO NUNCA LOS ESCUCHÉ, PERO ESTOY SEGURO DE QUE HABLAN UN IDIOMA QUE NO PODEMOS OÍR —CONTESTÓ SU ABUELO.

MARIO LO MIRÓ ASOMBRADO.

—¿CUÁL ES ESE IDIOMA? ¿CÓMO SABES QUE ESTÁN HABLANDO? —PREGUNTÓ EL NIÑO.

ENTONCES EL ABUELO LE EXPLICÓ:

—YO CREO QUE LOS ÁRBOLES HABLAN CON GESTOS. POR EJEMPLO, CUANDO FLORECEN ES PORQUE ESTÁN A LAS RISOTADAS, CUANDO SUS HOJAS SE PONEN VERDES ES PORQUE BUSCAN PAREJA Y CUANDO CRECEN SUS FRUTOS SIENTEN LA MISMA TERNURA DE MADRES Y PADRES HACIA SUS HIJOS.

—¿Y CUANDO ESTÁN DESNUDOS EN EL INVIERNO QUÉ ESTÁN DICIENDO?

—QUE LA PRIMAVERA SIEMPRE LLEGA —CONTESTÓ EL ABUELO.

77

# APRENDER A VOLAR

TRES PICHONES ESPERABAN EN EL NIDO A SU MAMÁ
QUE LES TRAERÍA COMIDA.
UN PICHÓN LES PROPUSO A SUS HERMANOS:
—¿QUÉ LES PARECE SI PROBAMOS VOLAR?
EL MÁS CHIQUITITO RESPONDIÓ:
—MAMÁ NOS DIJO QUE ELLA NOS ENSEÑARÍA,
NO PODEMOS DESOBEDECERLA.
EL TERCERO AGREGÓ:
—¡YO TENGO MIEDO!
EL PICHÓN AGITÓ SUS ALAS,
VOLÓ UNOS METROS Y VOLVIÓ AL NIDO.
—¿VIERON? ¡NO ES TAN DIFÍCIL! ¿NO QUIEREN PROBAR? ¡YO LES ENSEÑO!
—MEJOR ESPERO A MAMÁ —DIJO EL OBEDIENTE.
—¡MUÉSTRAME OTRA VEZ, A VER SI ME ANIMO! —LE RESPONDIÓ EL
PICHÓN MIEDOSO.
AL LLEGAR LA MAMÁ, VIO EN EL NIDO SOLO
AL PICHONCITO OBEDIENTE.
—¿Y TUS HERMANOS? —PREGUNTÓ ATEMORIZADA.
—¡ESTÁN VOLANDO POR AHÍ!

# EL JOVEN EXPLORADOR

JORGE ES EXPLORADOR. USA SOMBRERO, CHAQUETA, BOTAS Y LUPA, CON LA QUE CONOCE EL MUNDO. LE GUSTA IR AL PARQUE Y ENCONTRAR INSECTOS PEQUEÑÍSIMOS O FLORES MINÚSCULAS.

UN MEDIODÍA DE NOVIEMBRE, AL LLEGAR A LA VEREDA DE SU CASA, SE TROPIEZA Y SUS OJOS VAN A DAR MUY CERCA DE UNA MARGARITA FLORECIDA.

—¡QUÉ ESPÉCIMEN ES ESTE! ¡CUÁNTA BELLEZA! ¡OH! ¡QUÉ HOJAS TAN VERDES! ¡Y QUE AMARILLA SU COROLA! ¡PARECEN RAYOS SUS PÉTALOS BLANCOS! —JORGE NO SALE DE SU ASOMBRO.

CON ESE TROPEZÓN SE DA CUENTA DE QUE FUERA DE SU LUPA TAMBIÉN HAY UN MUNDO MARAVILLOSO POR CONOCER.

# CONVERSACIONES ANTES DE DORMIR

—SI LAS BRUJAS SON NEGRAS, ABUELA, ¿DE QUÉ COLOR SON LAS HADAS? —LE PREGUNTÓ CAMILA.

LA ABUELA HIZO UN SILENCIO QUE A LA NIÑA LE PARECIÓ MUY LARGO Y LUEGO LE CONTESTÓ:

—EN REALIDAD NI LAS BRUJAS SON NEGRAS NI LAS HADAS TIENEN UN SOLO COLOR. TODAS ELLAS SON SERES MÁGICOS. ALGUNOS SERES ESTÁN ENOJADOS Y HACEN HECHIZOS HORRIBLES Y OTROS ESTÁN FELICES Y ENTONCES NOS CUMPLEN ALGUNOS DESEOS.

—¿CÓMO HAGO PARA RECONOCERLAS ENTONCES, ABU? —INSISTIÓ CAMILA CON UN POCO DE PREOCUPACIÓN.

—SI ALGUNA VEZ TE CRUZAS CON ALGUNA, PREGÚNTALE CÓMO SE SIENTE. SI ESTÁ ENOJADA TE HECHIZARÁ Y SI ESTÁ FELIZ ¡PÍDELE UN DESEO!

CAMILA SE DURMIÓ CON LA CERTEZA DE QUE SU ABUELA ERA UN HADA.

80

# AMANECER SOLEADO

LA NOCHE HABÍA SIDO MUY FRÍA. LA PALOMA ESTABA SOBRE
UNO DE LOS ÁRBOLES EMPOLLANDO SUS HUEVOS. NO PODÍA
DEJAR DE TEMBLAR.

CUANDO LA NOCHE YA SE ESTABA YENDO, DIJO:

—¡DESPIÉRTATE, SOL, QUE TENGO FRÍO!

TODAS LOS PÁJAROS DEL CAMPO REPITIERON SU PEDIDO CON
SUS DISTINTAS VOCES.

—¡AY, SOL, TENEMOS FRÍO! ¡QUEREMOS VERTE!

EL SOL SE DESPEREZÓ EN ANARANJADOS
Y DEJÓ VER SU OJO UN POCO
ADORMECIDO TODAVÍA. SE HIZO
CADA VEZ MÁS GRANDE Y AMARILLO EN
EL HORIZONTE. BRILLÓ CON TODAS
SUS GANAS HASTA QUE SUS
RAYOS ENTIBIARON A LOS
PÁJAROS Y A SUS PICHONES.
ENTONCES LA MAÑANA
FUE UNA FIESTA
DE TRINOS.

# EL RECIÉN LLEGADO

EL AGUA DE LA LAGUNA SE PONÍA FEA PORQUE EL RÍO QUE LA ALIMENTABA SE HABÍA SECADO. LAS RANAS Y LOS SAPOS DE LOS ALREDEDORES NO BEBÍAN AGUA DE ALLÍ.

AL LLEGAR UN SAPO DESCONOCIDO Y QUERER BEBER, UNA RANA LE DIJO:

—¡NO BEBAS DE ESA AGUA! ¡SU GUSTO NO ES AGRADABLE Y SOLO LOGRARÁS ENFERMARTE!

EL SAPO NO HIZO CASO AL CONSEJO Y BEBIÓ AGUA DE LA LAGUNA. TUVO QUE DISIMULAR PARA QUE LO AMARGO DEL AGUA NO SE LE NOTARA EN LA CARA.

—¡NADA MEJOR QUE UN TRAGO DE AGUA FRESCA Y PERFUMADA DE HIERBAS! —DIJO EL SAPO, DISIMULANDO.

82

# UN COLIBRÍ EN APUROS

ERA ÉPOCA DE SEQUÍA. UN COLIBRÍ VOLÓ HASTA LA PLAZA BUSCANDO AGUA.

AL LLEGAR, DESCUBRIÓ QUE ALLÍ TAMPOCO HABÍA.

SE QUEDÓ QUIETO EN UN BANCO SIN SABER QUÉ HACER.

UN JOVEN LO VIO Y LO TOMÓ CON CUIDADO ENTRE SUS MANOS.

CONFIADO, EL COLIBRÍ PENSÓ: "¡ÉL ME PROTEGERÁ Y ME DARÁ ALIMENTO!" Y SE DEJÓ LLEVAR HASTA UNA CASA QUE TENÍA UN PATIO AMPLIO CON ÁRBOLES Y MUCHAS FLORES.

—¡AQUÍ TENGO TODO LO QUE NECESITO!

EL JOVEN PUSO AL PÁJARO EN UNA JAULA EN LA QUE HABÍA AGUA Y UNAS FLORES RECIÉN CORTADAS. ERA TAN PEQUEÑA QUE EL COLIBRÍ NO PODÍA MOVER LAS ALAS.

POR SUERTE LA NIÑA DE LA CASA SE COMPADECIÓ DEL PÁJARO Y LO LIBERÓ.

# AMOR NOCTURNO

LA LUNA DESPARRAMÓ SU LUZ POR EL RÍO Y
SE DESHIZO EN PEQUEÑOS TROZOS AMOROSOS
PARA CONTARLE LO QUE SENTÍA POR ÉL.
EL RÍO LE DEDICÓ UNA MELODÍA HECHA CON EL SUSURRO
DEL AGUA PARA QUE SUPIERA CUÁNTO LA QUERÍA.
PERO EL SOL, FURIOSO DE ENVIDIA, ECHÓ A LA LUNA,
CALENTÓ EL AGUA DEL RÍO Y LES DIO SED A LOS ANIMALES
PARA QUE SE BEBIERAN TODA EL AGUA,
PERO NO PUDO CESAR SU CANTO RUMOROSO.
CADA NOCHE, LA LUNA Y EL RÍO SE CUENTAN
SU AMOR. AUNQUE EL SOL SE MUERA DE ENVIDIA,
NO DEJARÁN DE ENCONTRARSE.

84

# EL CONTADOR DE HISTORIAS

EL VECINO DE NICOLÁS ES UN ANCIANO QUE CADA TARDE SALE A DAR UNA VUELTA. PARECE SIEMPRE ENOJADO.

NICOLÁS Y SUS AMIGOS JUEGAN EN LA VEREDA Y CUANDO VEN AL ANCIANO SALEN CORRIENDO.

—¡ES UN BRUJO! ¡NOS VA A HECHIZAR! —DICEN LOS CHICOS.

EL VECINO VIVE SOLO, SU FAMILIA ESTÁ MUY LEJOS. NO ES ENOJO LO QUE TIENE, SINO PENA.

UNA TARDE, MIENTRAS JUEGAN CON SUS BICICLETAS, A NICOLÁS SE LE SALE LA CADENA. EL ANCIANO LOS VE Y LES DICE:

—¿NECESITAN AYUDA?

SE AGACHA SIN QUE LOS NIÑOS RESPONDAN Y LES ARREGLA LA BICICLETA.

MIENTRAS TANTO, LES CUENTA QUE ÉL ERA MECÁNICO DE AUTOS DE CARRERA.

DESDE ENTONCES, CADA TARDE LOS CHICOS ESPERAN ESCUCHAR LAS ANÉCDOTAS DEL VECINO.

# VIAJAR LEJOS

EN MEDIO DE LA AVENIDA DE UNA CIUDAD
MUY RUIDOSA HABÍA UNA ESTATUA, CONSTRUIDA
PARA HONRAR A LA PROTAGONISTA DE UNA VIEJA
LEYENDA DEL LUGAR. ERA LA ESTATUA DE UNA MUJER
JOVEN CON GESTO VALIENTE. TENÍA SU CABEZA
ORIENTADA HACIA EL CIELO.

A LA ESTATUA LE MOLESTABA ESTAR TAN QUIETA,
NO SOPORTABA EL RUIDO DE AUTOS Y MOTOS.
ADEMÁS, EL HUMO LE HACÍA ARDER LOS OJOS.
SU ÚNICO CONSUELO ERA MIRAR LA LUNA Y LAS
ESTRELLAS EN LA NOCHE. CUANDO VEÍA UNA
ESTRELLA FUGAZ DESEABA CON TODA SU ALMA DE
ESTATUA PODER IRSE CON ELLA.

UN DÍA LA CIUDAD AMANECIÓ ASOMBRADA
PORQUE LA ESTATUA YA NO ESTABA EN SU LUGAR.

# EL ÁRBOL MÁGICO

UN EXPLORADOR VIAJÓ POR TODO EL MUNDO BUSCANDO EL ÁRBOL DE LOS TRES DESEOS. HABÍA LEÍDO EN UN MANUSCRITO QUE EXISTÍA UN ÁRBOL MÁGICO; BASTABA SENTARSE A SU SOMBRA Y PEDIR TRES DESEOS PARA QUE SE CUMPLIERAN.

VIAJÓ POR MUCHOS PUEBLOS Y CIUDADES PREGUNTANDO POR EL ÁRBOL, PERO NO PODÍA ENCONTRARLO Y YA SE SENTÍA MUY CANSADO.

UNA TARDE SE SENTÓ A LA SOMBRA DE UN ÁRBOL EN UNA PEQUEÑA CIUDAD Y PENSÓ EN VOZ ALTA.

—¡CÓMO ME GUSTARÍA VOLVER A MI CASA! ¡QUISIERA BESAR A MI MADRE Y PROBAR SU EXQUISITA COMIDA!

CUANDO LEVANTÓ LA VISTA VIO SU CASA ENFRENTE, POR LA PUERTA SALIÓ SU MADRE QUE LO ABRAZÓ, LO BESÓ Y LE COCINÓ UNOS RIQUÍSIMOS TALLARINES CASEROS.

# UN PÁJARO AZUL

HABÍA EN EL MONTE UN PÁJARO AZUL QUE VIVÍA EN LA RAMA DE UN ÁRBOL FRONDOSO. COMÍA Y DORMÍA. NO HABLABA CON NADIE. Y POR SER DIFERENTE A TODOS LOS PÁJAROS DEL LUGAR ERA MALTRATADO.

—¡EY, PÁJARO EXTRANJERO! ¡POR QUÉ NO TE VUELVES AL LUGAR DE DONDE HAS VENIDO!

OFENDIDO, SE FUE A BUSCAR OTRO ÁRBOL, PERO, CON LA EXPERIENCIA DE HABER SIDO RECHAZADO, CUANDO LLEGÓ A SU NUEVO ÁRBOL DIJO:

—YO SOY EL PÁJARO AZUL, NIETO DE REYES ÁRABES Y DE SABIOS DE PALACIO. TODOS DEBEN RESPETARME PORQUE MI COLOR TRAERÁ BIENESTAR Y FELICIDAD A TODAS LAS AVES DEL LUGAR.

LOS PÁJAROS LO MIRARON Y LO ACEPTARON. A ELLOS, SIMPLEMENTE LES DABA IGUAL EL COLOR.

# LOS PLANES HAY QUE CUMPLIRLOS

CUANDO LLEGA NOVIEMBRE, DARÍO Y SUS AMIGOS EMPIEZAN A HACER PLANES PARA EL VERANO. ELLOS VIVEN CERCA DE UN RÍO MANSO AL QUE VAN A BAÑARSE CUANDO HACE CALOR. PARA ESTE AÑO ESTÁN PLANEANDO IR AL RÍO Y HACER CAMPAMENTOS, PARTIDOS DE FÚTBOL, INVESTIGACIONES NOCTURNAS DE LOS ALREDEDORES CON LINTERNAS…

ANOTAN EN UNA LIBRETITA TODO LO QUE QUIEREN HACER EN EL VERANO. MIENTRAS TANTO, SE ACUERDAN DE LO QUE SE DIVIRTIERON EL AÑO ANTERIOR.

PERO DICIEMBRE LLEGA CON LLUVIA, IGUAL QUE ENERO.

LOS CHICOS APRENDEN A JUGAR AL AJEDREZ, A LAS CARTAS… Y EN FEBRERO CUANDO LAS LLUVIAS CESEN, HARÁN TODO LO QUE TIENEN ANOTADO EN LA LIBRETITA.

SERÁ OTRO VERANO FABULOSO.

# JOAQUÍN SUEÑA

ESA NOCHE JOAQUÍN HABÍA SOÑADO CON DRAGONES. ÉL ESTABA MONTADO SOBRE UNO DE ELLOS. RECORRÍA LOS CIELOS, SOBREVOLABA LAGOS Y BOSQUES, LOS HABÍA VISTO INCENDIAR UNA MONTAÑA CON SU FUEGO. MÁS TARDE SU DRAGÓN SE DETUVO EN UN PALACIO TODO DE ORO. LO VIO COMERSE UNAS POBRES BESTIAS DEL CAMPO COMO SI FUERAN BOCADITOS Y LUEGO DORMIRSE Y RONCAR, ECHANDO UN POCO DE FUEGO POR LA NARIZ.

DE PRONTO SU GATO APARECIÓ EN SU SUEÑO. ESTABA RONRONEADO AL LADO DEL DRAGÓN. ÉL TRATÓ DE APARTARLO; SI EL DRAGÓN DESPERTABA, SE LO COMERÍA. ENTONCES FUERON DESAPARECIENDO EL CASTILLO, LAS MONTAÑAS Y EL DRAGON. LO ÚNICO QUE PERMANECIÓ FUE SU GATO ACOSTADO A SU LADO, RONRONEANDO.

# EL ENCANTADOR DE SERPIENTES

UN ENCANTADOR DE SERPIENTES HABÍA LLEGADO AL PUEBLO. TODA LA MAÑANA ESTUVO PROMOCIONANDO SU ACTO.

ÁLVARO Y SUS AMIGOS SABÍAN QUE ALGUNA TRAMPA HABÍA EN ESE ACTO, ENTONCES, CAMBIARON LAS SERPIENTES POR OTRAS DOS.

—¡VEREMOS SI PUEDE ENCANTAR A ESTAS!

TODO EL PUEBLO FUE AL ESPECTÁCULO.

EL ENCANTADOR SE SENTÓ EN EL SUELO ENFRENTE DEL CANASTO CON LAS VÍBORAS Y COMENZÓ A TOCAR SU FLAUTA.

PASABA LA HORA Y LAS VÍBORAS NO SE MOVÍAN.

LA GENTE EMPEZÓ A RECLAMAR SU DINERO Y EL ENCANTADOR NO SABÍA QUÉ DECIR.

EN ESE MOMENTO SE ACERCÓ UN MÚSICO MUY FAMOSO Y LE DIJO:

—¡QUÉ BIEN EJECUTA LA FLAUTA! ¿NO LE GUSTARÍA TOCAR EN MI ORQUESTA?

# EL BARRILETE Y EL MAR

JERÓNIMO VIVÍA CERCA DEL MAR Y JUNTO A SU PAPÁ HABÍA HECHO UN BARRILETE AZUL. EL NIÑO LO REMONTABA TODOS LOS FINES DE SEMANA. UN DÍA SE DIO CUENTA DE QUE EL BARRILETE TIRABA CON FUERZA SIEMPRE HACIA EL MAR.

SE ENCONTRABA EN EL PUERTO, YA NO PODÍA AVANZAR Y SEGUÍA TIRANDO.

AL ÉL LE GUSTABA MUCHO SU BARRILETE, NO QUERÍA SOLTARLO. ADEMÁS, SABÍA QUE, SI LO HACÍA, CAERÍA EN EL OCÉANO Y YA NO PODRÍA VOLAR.

LE COSTÓ MUCHO TOMAR LA DECISIÓN. HABLÓ CON EL TIMONEL DE UN VELERO Y LE PREGUNTÓ SI LE GUSTARÍA LLEVAR EL BARRILETE COMO VELETA EN SU BARCO. EL TIMONEL ACEPTÓ. JERÓNIMO VIO CÓMO EL BARRILETE SE ELEVABA SOBRE LAS OLAS MIENTRAS SALUDABA ONDULÁNDOSE EN EL CIELO.

# BRACO, UN PERRO FEROZ

TODOS LE TEMÍAN A BRACO. UN SOLO LADRIDO HACÍA QUE
LOS CHICOS, LOS PERROS Y LOS GATOS SALIERAN CORRIENDO.
BRACO ERA UN PASTOR ALEMÁN DE MIRADA AGUDA Y PATAS
FUERTES Y ÁGILES AL QUE LE GUSTABA VER COMO TODOS
SALÍAN CORRIENDO CUANDO ALZABA SU VOZ.

ERA UNA MANERA DE QUE NO LO VIERAN JUGAR CON LOS
GRILLOS, ACARICIAR LAS FLORES CON SU MEJILLA O DISFRUTAR
DEL SOL DE LA SIESTA DE ABRIL PANZA ARRIBA EN EL JARDÍN.

ESA COSTUMBRE HIZO QUE BRACO FUERA UN PERRO SOLITARIO.
NO TENÍA AMIGOS, HASTA QUE CHICHE, EL CACHORRO DE LA
CASA DE AL LADO, EMPEZÓ A LADRAR CON UNA VOCECITA
AGUDA Y DELICADA.

BRACO NO PUDO PARAR DE REÍRSE Y ASÍ FUE COMO SE
HICIERON AMIGOS.

93

# EL NIDO DESHECHO

UNA PAREJA DE PÁJAROS HABÍA HECHO SU NIDO EN LA RAMA DE UN ÁRBOL.

UNA NOCHE LLOVIÓ MUCHO Y EL VIENTO SOPLÓ MUY FUERTE. LA CASA DEL ÁRBOL FUE DESTRUIDA. LAS DOS AVES SE PROTEGIERON ENTRE LA HIERBA Y LAS ROCAS QUE HABÍA CERCA DEL ÁRBOL.

ÉL SE PASÓ TODA LA NOCHE SIN DORMIR:

—¡QUÉ TRISTE ESTOY! ¡CON LO HERMOSO QUE ERA NUESTRO NIDO! ¡Y EL TIEMPO QUE NOS LLEVÓ CONSTRUIRLO!

SU COMPAÑERA SE QUEDÓ ACURRUCADA Y DURMIÓ HASTA QUE LA TORMENTA CESARA. CUANDO SALIÓ EL SOL, ELLA LO DESPERTÓ Y JUNTOS SE PUSIERON A RECONSTRUIR EL NIDO.

# LA NOVIA DEL SAPO

NO MUY LEJOS DE UNA GRAN CIUDAD VIVÍA UN SAPITO JOVEN Y HERMOSAMENTE VERDE JUNTO A SU FAMILIA EN UNA LAGUNA.

UNA NOCHE EN LA ORILLA SE DIO CUENTA DE QUE EL CÍRCULO BLANCO QUE VEÍA EN EL AGUA ERA EL REFLEJO DE LA LUNA. SAPITO PASABA TODAS LAS NOCHES MIRÁNDOLA. SUSPIRABA Y PENSABA:

—¡QUÉ LEJOS ESTAMOS, BELLA LUNA! ¡CÓMO ME GUSTARÍA BESAR TU CARA BLANCA Y REDONDA!

OTRA NOCHE ESTIRÓ LA CABEZA Y SINTIÓ EN SU BOCA EL BESO DE LA LUNA.

LA FAMILIA SE DIO CUENTA DE QUE ALGO RARO PASABA CON EL SAPITO Y LE PREGUNTARON QUÉ LE SUCEDÍA.

—ESTOY ENAMORADO —RESPONDIÓ—. PERO NO LES VON A CONTAR QUIÉN ES MI NOVIA PARA QUE NO ME ENVIDIEN.

95

# LOS TRES GATOS

EL ALMACENERO MANTENÍA SU NEGOCIO MUY LIMPIO, PERO TENÍA UN PROBLEMA: SIEMPRE HABÍA UN RATÓN CORRIENDO POR LOS RINCONES.

UNA VECINA LE DIJO:

—TIENE QUE CONSEGUIR UN GATO.

EL ALMACENERO LE PIDIÓ A SU PRIMA EL GATO, UN ANIMAL PELUDO Y ELEGANTE, QUE NADA PUDO HACER PORQUE NO QUERÍA ENSUCIARSE LAS PATITAS AL CAZAR.

LUEGO BUSCÓ UN GATO QUE LE PARECIÓ MÁS ASTUTO. PERO EL RATÓN SÓLO APARECÍA CUANDO EL GATO SE DORMÍA.

FINALMENTE, SIN SABER QUE HACER, BUSCÓ UN GATO DE LA CALLE, HAMBRIENTO. COMO EL GATO PARECÍA SOMNOLIENTO Y DISTRAÍDO, LOS RATONES SE ANIMARON A ACERCÁRSELE. FUE ENTONCES CUANDO EL MININO COMIÓ SU MEJOR ALMUERZO EN MUCHO TIEMPO.

# OCURRIÓ EN ÁFRICA

EN LA SELVA AFRICANA, UN PÁJARO, OCULTO EN LA RAMA DE UN ÁRBOL, VIO UN LEÓN Y PENSÓ: "¡CÓMO ME GUSTARÍA TENER ESA MELENA, ESE PELAJE DORADO Y ESE RUGIDO!".

EN ESE MOMENTO EL LEÓN ESTABA MIRANDO UNA GACELA Y PENSABA: "SI YO FUERA TAN RÁPIDO COMO ELLA NUNCA TENDRÍA HAMBRE".

LA GACELA, MIENTRAS VIGILABA QUE EL LEÓN NO SE ACERCARA, VIO PASAR UN ELEFANTE Y PENSÓ: "CÓMO ME GUSTARÍA TENER ESE INMENSO CUERPO Y ESA FUERZA, PARA QUE LOS LEONES NO ME PERSIGUIERAN".

MIENTRAS ELLOS ESTABAN DISTRAÍDOS QUEJÁNDOSE, UNA TORMENTA REPENTINA LOS DEJÓ A TODOS MOJADOS POR IGUAL.

97

## NUEVAS AMIGAS

UNA RANA VIVÍA EN UN POZO, ALLÍ PASABA SU VIDA PORQUE TENÍA TODO LO QUE NECESITABA. HABÍA COMIDA, LUGAR PARA DORMIR Y HASTA PARA JUGAR. UN DÍA CAYÓ AL POZO OTRA RANA QUE ERA MUY VIAJERA.

LA RANA DEL POZO LE PREGUNTÓ:

—¿DE DÓNDE VIENES?

—YO VIVO EN UNA LAGUNA DE AGUAS CLARAS Y FRESCAS —LE CONTESTÓ LA OTRA.

LA RANA DEL POZO VOLVIÓ A PREGUNTAR:

—¿UNA LAGUNA? NO SÉ LO QUE ES ESO. ¿ES ACASO MUY DIFERENTE DE MI POZO?

—TU POZO ES MUY ACOGEDOR, PERO LA LAGUNA ES MUY DIFERENTE. SI ME AYUDAS A SALIR, TE LLEVARÉ A CONOCERLA. SI TE GUSTA PODRÁS QUEDARTE Y, SI NO, TE VUELVES A TU POZO.

LAS RANITAS FUERON JUNTAS A LA LAGUNA. AMBAS ESTABAN MUY FELICES POR HABERSE CONOCIDO Y SER AMIGAS.

# HISTORIAS PARA MORA

MORA TIENE UNA VECINA MUY MAYOR QUE LE CUENTA HISTORIAS. ELLA NO CREE QUE SEAN CIERTAS, PERO LE GUSTA ESCUCHARLA.

UNA TARDE LE CONTÓ QUE LAS TORTUGAS HACE MUCHOS AÑOS ERAN LOS ANIMALES MÁS RÁPIDOS DEL MUNDO.

ESTA CUALIDAD HACÍA QUE TODOS LOS ANIMALES QUISIERAN COMPETIR CON ELLAS.

CUANDO LAS CALLES FUERON ASFALTADAS, EN CADA CARRERA, LAS TORTUGAS SE DABAN UNOS GOLPAZOS TREMENDOS Y SUS CAPARAZONES QUEDABAN MUY DAÑADOS. ESO HIZO QUE CAMINARAN CADA VEZ CON MÁS LENTITUD, PARA NO GOLPEARSE.

CUANDO TERMINÓ LA HISTORIA, MORA LE PREGUNTÓ:

—¿ENTONCES LAS TORTUGAS QUE VIVEN EN EL CAMPO SIGUEN SIENDO VELOCES?

LA VECINA LA MIRÓ Y EMPEZÓ OTRA HISTORIA:

—HACE MÁS DE CIEN AÑOS, LAS ARAÑAS…

99

# EL LORO, EL GATO Y EL PERRO

EN LA CASA DE MARTINA HABÍA UN LORO EN UNA JAULA Y UN GATO. A LA NENA LE GUSTABA PASEAR POR LA CASA CON EL LORO EN EL HOMBRO. EL GATO ERA MUY MANSO, PERO, CUANDO PASABA CERCA DE LA JAULA, LE DECÍA AL LORO:

—¡CUANDO NADIE TE VIGILE, TE COMERÉ HASTA LAS PLUMAS!

TRAJERON A LA CASA UN PERRO PASTOR ALEMÁN. EL GATO SE SUBIÓ AL ÁRBOL CASI MUERTO DE MIEDO. ENTONCES EL LORO SE PUSO A CANTAR DENTRO DE SU JAULA:

—¡YA TE COMERÉ! ¡YA TE COMERÉ! —MIENTRAS BAILABA MOVIENDO SUS PATITAS.

AL TIEMPO LOS TRES SE HICIERON AMIGOS.

100

# ¡CUIDADO CON LA PRINCESA!

EN UN VIEJO CASTILLO ESPAÑOL HAY UN CARTEL EN LA PUERTA QUE DICE: "¡CUIDADO CON LA PRINCESA!". SIEMPRE ALGÚN TURISTA LLEGA HASTA ALLÍ Y LEE EL CARTEL. MUCHOS SE RÍEN PORQUE PIENSAN QUE FUE OBRA DE ALGÚN BROMISTA, ALGUNOS SE PREGUNTAN SU SIGNIFICADO, OTROS SIGUEN DE LARGO.

UN DÍA LLEGÓ UN TURISTA QUE NO LEÍA ESPAÑOL. RECORRIÓ LOS JARDINES, LOS GRANDES SALONES, SUBIÓ LAS ESCALERAS Y ENTRÓ A LOS DORMITORIOS. CUANDO ABRIÓ LA PUERTA DEL QUE ESTABA MÁS ALTO, ENCONTRÓ DURMIENDO A UN INMENSO DRAGÓN ROSADO. CERRÓ LA PUERTA Y SE FUE.

NUNCA SUPO SI ERA UNA PRINCESA ENCANTADA, UNA DRAGONA O UN DRAGÓN AL QUE LE GUSTA EL ROSA.

101

## LA LLUVIA SE MOJA

LA LLUVIA AGITADA GOLPEA LOS VIDRIOS,
¡ESTÁ TAN MOJADA! SE QUIERE SECAR, INSISTE E INSISTE,
PERO NADIE EN LA CASA LA OYE LLAMAR.
—¡CIERREN LAS VENTANAS QUE EMPEZÓ A LLOVER! ¡NO ABRAS
LAS PUERTAS, TE VAS A MOJAR! —DICEN LOS QUE
NO QUIEREN DEJARLA PASAR.
LA LLUVIA SE ENOJA Y EMPIEZA A TRONAR, LAS PUERTAS Y
VENTANAS SE CIERRAN AÚN MÁS, NADIE LA DEJARÁ ENTRAR.
LA LLUVIA SE CANSA DE LLAMAR Y LLAMAR. EL SOL DESDE EL
CIELO LA ESCUCHA LLORAR. CON UNOS RAYOS
TIBIOS LA LOGRA SECAR.
LA LLUVIA CONTENTA LE REGALA UNA NUBE Y SE VA.

# EL VIAJE DEL CONEJO

UN VIEJO CONEJO DE GRANJA DECIDIÓ CONOCER
EL MUNDO.

SALIÓ UNA MAÑANA SIGUIENDO LA LUZ DEL SOL.

CONOCIÓ OTROS AROMAS Y ALIMENTOS QUE NO HABÍA
PROBADO NUNCA.

DESPUÉS DE UNOS DÍAS EMPEZÓ A EXTRAÑAR LA VIDA EN
LA GRANJA Y QUISO REGRESAR.

COMO NO VEÍA BIEN, EMPEZÓ A PREGUNTAR QUIÉN
PODÍA AYUDARLO.

—ESTOY TRABAJANDO —DIJO EL HORNERO.

—TE AYUDARÍA SI PUDIERA, PERO TENGO
RAÍCES —CONTESTÓ UNA FLOR.

—¡YO NO PUEDO! —RESPONDIÓ UNA
RATA VIAJERA.

POR LA NOCHE, VIO UNA LUCIÉRNAGA.

—¡YO PUEDO AYUDARTE!

EL CONEJO VOLVIÓ CON SU AYUDA A
SU GRANJA Y TUVO MUCHAS HISTORIAS DE SU
VIAJE PARA CONTAR A SUS AMIGOS.

103

## MAR LILAZUL

EL JACARANDÁ EN NOVIEMBRE SUEÑA CON EL MAR.
AMARRADO A SUS RAÍCES SUSPIRA FLORES LILAZULES
DESEANDO CONOCER LA ESPUMA Y HAMACARSE EN
LAS OLAS ARRULLADORAS.
EL VIENTO CÁLIDO DEL VERANO
LO ESCUCHA SUSURRAR:
—¡AY, SI YO PUDIERA HACERME NUBE,
DESPRENDERME DEL SUELO Y
VOLAR HASTA EL MAR!
—¡PERO, ARBOLITO! ¿EN VERDAD NO SABES LO CERCA
DE TI QUE ESTÁ EL MAR? —MURMURA EL VIENTO.
ENTONCES SOPLA FUERTE Y CALIENTE,
INVENTA UNAS TIJERAS Y RECORTA
LAS FLORES DEL JACARANDÁ PARA HACER
UN MAR LILAZUL EN LA VEREDA.
EL ÁRBOL DISFRUTA MOJANDO LOS PIES
EN ESE MAR, JUEGA A HACER OLAS CON
EL VIENTO, OLAS QUE
RECORRERÁN LA CIUDAD.

104

# TERESITA Y LAS HADAS

TERESITA ES UNA NIÑA QUE DICE CONOCER A
LAS HADAS. AYER LE CONTÓ A SU MAMÁ:

—¿SABES, MAMÁ, QUE CERCA DE MÍ HAY HADAS?
NO SÉ CÓMO SON, LO ÚNICO QUE ALCANZO
A VER ES UNA LUCECITA QUE SE MUEVE MUY
RÁPIDO. EN MI CUARTO ME DESORDENAN LOS
LIBROS, ME ESCONDEN LA LAPICERA Y LOS
COLORES. A VECES BUSCO LOS ZAPATOS DONDE
LOS DEJÉ Y APARECEN EN OTRO LADO. SEGURO
SON LAS HADAS HACIENDO TRAVESURAS.

LA MAMÁ DE TERESITA LA ESCUCHA.

—¡TIENES UNA GRAN IMAGINACIÓN,
MI NIÑA! —LE DICE MIENTRAS LA ABRAZA.

LA NIÑA CONTINÚA:

—AYER CUANDO FUI A JUGAR CON PATRICIA
HABÍA UNA. ¡ELLA FUE LA QUE ME ROMPIÓ EL
PANTALÓN! ¡NO ME RETES A MÍ!

## SUEÑO DE GUSANO

—¡CÓMO ME GUSTARÍA VOLAR! —EXCLAMABA UN GUSANITO DE LA MAÑANA A LA NOCHE, DE LUNES A DOMINGO.

—¡ERES UN GUSANO, NO UN PÁJARO! —LE DECÍAN SUS AMIGOS GUSANOS. PERO ÉL SOÑABA CON VOLAR. VEÍA LAS AVES, LAS MARIPOSAS, LAS ABEJAS, LAS MOSCAS, LOS MOSQUITOS. NO LE IMPORTABA SER CUALQUIERA DE ELLOS, PERO DESEABA VOLAR. LO INTENTABA TODOS LOS DÍAS, TRATABA DE ALZAR SU CABEZA, PERO SU CUERPO ESTABA ADHERIDO AL PISO. SIN EMBARGO, ESTE GUSANITO UN DÍA SINTIÓ QUE SE TRANSFORMABA, QUE SENTÍA Y HACÍA COSAS QUE NO ENTENDÍAN LOS OTROS GUSANOS. UN DÍA DESCUBRIÓ DOS ALAS COLORIDAS EN SU CUERPO. Y VOLÓ CON SUS ALITAS HASTA UNA FLOR, SUSPIRÓ Y SE SINTIÓ LA MARIPOSA MÁS FELIZ DEL MUNDO.

# EL PESCADOR BONDADOSO

UN PESCADOR SE ENCONTRABA CON SU CAÑA EN EL RÍO ESPERANDO QUE ALGÚN PEZ MORDIERA EL ANZUELO. EL HOMBRE LE CANTABA AL RÍO PARA QUE LE REGALARA UN PEZ. NECESITABA ALIMENTAR A SUS HIJOS. TODA LA TARDE ESTUVO CANTANDO. YA ANOCHECÍA CUANDO SINTIÓ UN PEZ EN EL ANZUELO. LO ATRAPÓ, PERO AL VERLO TAN PEQUEÑO ENTRE SUS MANOS DIJO:

—¡TIENE TANTO RÍO POR NADAR! —Y SIN PENSARLO MÁS, DECIDIÓ ARROJARLO AL AGUA. AL INSTANTE, SIN QUE EL HOMBRE LO NOTARA, UN CANASTO CON PANES, VERDURAS Y FRUTAS APARECIÓ JUNTO A ÉL. NUNCA SUPO EXPLICAR LO SUCEDIDO. ESA NOCHE, EL PESCADOR Y SU FAMILIA COMIERON UNAS RICAS VERDURAS HORNEADAS, PANES ADEREZADOS CON AJO Y PEREJIL Y MANZANAS ROJAS Y JUGOSAS DE POSTRE.

107

# LAS FECHORÍAS DEL DUENDE

EN EL PUEBLO HAY UN DUENDE QUE HACE TRAVESURAS: LOS ENANOS DE JARDÍN APARECEN SOBRE LOS ÁRBOLES, LOS PERROS SE VUELEN VERDES Y CON PLUMAS, Y LOS GORRIONES TIENEN CORBATA.

—SI SIGUE ASÍ, HARÁ FECHORÍAS CON NOSOTROS —DICEN TODOS Y PIENSAN LA MANERA DE ATRAPALO.

—¡YA SE CANSARÁ DE HACER CHISTES! —EXPRESA UN VECINO Y DECIDEN NO HACER NADA.

UNA MAÑANA, LA SEÑORA CATALINA SALUDA A SU VECINA ¡Y CACAREA! Y ANTONIO, EL QUIOSQUERO, ¡TIENE HOCICO DE BURRO!

—¡AH NO, BASTA! —DICEN TODOS Y HACEN UN PLAN PARA LIBRARSE DEL DUENDE.

AL DÍA SIGUIENTE, AL VER MÁS FECHORÍAS, TODOS SE RÍEN. EL DUENDE, CONFIADO, SE ACERCA. LO ATRAPAN, LO PONEN EN UNA CAJA Y LO DESPACHAN POR CORREO.

108

# APRENDER JUNTOS

PARA PEDRO TODO ES FÚTBOL. EN LOS RECREOS FÚTBOL, EN LA TELE FÚTBOL, EN LA PLAZA FÚTBOL. SU MUNDO TIENE FORMA DE PELOTA DE FÚTBOL.

LOS AMIGOS LO INVITAN AL CINE, A TOMAR UN HELADO, A JUGAR A LAS CARTAS, PERO ÉL LES DICE QUE NO PUEDE, QUE HOY HAY FÚTBOL.

LA SEMANA PASADA, PEDRO CONOCIÓ A HERNÁN, QUE JUEGA AL FÚTBOL, PERO ADEMÁS, TOCA LA GUITARRA. CUANDO LOS AMIGOS YA SE HABÍAN CANSADO DE INVITARLO A TODAS PARTES, LO VIERON EN LA PLAZA, TOCANDO LA GUITARRA CON HERNÁN. TODOS SE SUMARON A LA RONDA. AHÍ FUE CUANDO GABRIEL DIJO:

—¿QUIEREN JUGAR A LA OCA? SI NO SABEN YO LES ENSEÑO.

109

# UNA RANA SIN ALAS

EN UNA LAGUNA ALEJADA DE LA CIUDAD VIVÍA LA RANITA LILIANA CON TODAS SUS HERMANAS, SUS PRIMAS Y UN MONTÓN DE SAPOS, LUCIÉRNAGAS, MARIPOSAS, LANGOSTAS Y OTROS ANIMALES. PERO LILIANA ERA ESPECIAL. DE LA MAÑANA A LA NOCHE, ESCONDIDA ENTRE LAS MATAS MIRABA A LAS MARIPOSAS. Y DECÍA EN VOZ MUY BAJA:

—¡QUÉ COLORES! ¡Y ESAS ALAS CÓMO ALETEAN! ¡Y VUELAN DE AQUÍ PARA ALLÁ! YO SOLO PUEDO DAR SALTITOS PARA MOVERME Y SOY TODA VERDE.

ASÍ SE QUEJABA LILIANA CON TRISTEZA.

110

# UN RANA SIN ALAS *(CONTINUACIÓN)*

LA RANITA HIZO MUCHOS ENSAYOS PARA APRENDER A VOLAR. TRATÓ DE SALTAR CADA VEZ MÁS ALTO PARA VER SI QUEDABA SUSPENDIDA EN EL AIRE A CIERTA ALTURA. AGARRÓ CON SUS PATITAS DELANTERAS UNAS CUANTAS HOJAS GRANDES PARA VER SI LE SERVÍAN DE ALAS. SE PUSO SOBRE EL CUERPO PÉTALOS DE TODOS COLORES PARA PROBAR SI LE TEÑÍAN LA PIEL, PERO NO LOGRÓ NADA. LOS HABITANTES DE LA LAGUNA SE DIERON CUENTA DE LO QUE LE SUCEDÍA A LILIANA Y ELABORARON UN PLAN. A LA MAÑANA SIGUIENTE SU PRIMA CATA LE DIJO:

—¡QUÉ VERDE TAN BRILLANTE TIENES HOY EN LA PIEL!

## UNA RANA SIN ALAS *(CONTINUACIÓN Y FIN)*

—¿SABES QUE LAS RANAS Y LOS SAPOS SOMOS UNO DE LOS POCOS ANIMALES EN EL MUNDO QUE SABEMOS SALTAR? —LE DIJO UNA DE SUS HERMANAS.

—EL VERDE ES EL COLOR DE LA ESPERANZA —AGREGÓ SU PADRE.

A LILIANA CON CADA EXPRESIÓN SE LE HINCHABA EL PECHO DE ORGULLO.

DESDE ESE DÍA, LA RANITA EMPEZÓ A SALTAR COMO LOCA POR TODOS LADOS.

AHORA EN TODA LA LAGUNA LE DICEN LILIANA LA SALTARINA.

# LAS GALLINAS Y EL ZORRO

UN ZORRO ENTRÓ A UN GALLINERO EN EL QUE HABÍA
DOCE GALLINAS SIN NADIE QUE LAS CUIDARA.

—¡QUÉ SUERTE TENGO! VOY A TENER UN ALMUERZO
MUY APETITOSO.

LAS GALLINAS ESTABAN ASUSTADÍSIMAS,
CACAREABAN POR EL GALLINERO SIN PODER ESCAPAR
PORQUE EL ZORRO PERMANECÍA EN LA PUERTA.

UNA DE ELLAS TOMÓ CORAJE Y LE DIJO:

—POR FAVOR, SEÑOR ZORRO, DADO QUE VAMOS
A MORIR, DÉJENOS CANTAR NUESTRA CANCIÓN
FAVORITA POR ÚLTIMA VEZ.

EL SALVAJE ANIMAL PENSÓ QUE UNA DEMORA
EN SU ALMUERZO NO IMPORTABA Y ACEPTÓ
EL PEDIDO DE LAS AVES.

ENTONCES LAS GALLINAS COMENZARON CON SU
MELODÍA:

—¡COCOROCÓ! ¡COCOROCÓ! —SIN DETENERSE.

TANTO TIEMPO CANTARON QUE EL ZORRO SE
DURMIÓ Y ELLAS PUDIERON ESCAPAR.

# PREGUNTAS Y RESPUESTAS

LUCÍA VIVÍA CON SU ABUELA Y DESDE MUY PEQUEÑA
LE HACÍA MUCHAS PREGUNTAS:

—¿POR QUÉ LAS MARGARITAS SON BLANCAS Y AMARILLAS?

—¿TODOS LOS ÁRBOLES SON VERDES?

—¿POR QUÉ COMEMOS DE DÍA Y DORMIMOS DE NOCHE?

LA NIÑA ESTABA ASOMBRADA PORQUE SU ABUELA SABÍA
CONTESTAR TODO LO QUE ELLA PREGUNTABA.

UN DIA QUISO HACERLE UNA TRAMPA.

PUSO UNA MARIPOSA EN SU PUÑO Y
LE PREGUNTÓ A SU ABUELA:

—ESTA MARIPOSA QUE GUARDO EN MI MANO
¿ESTÁ VIVA O MUERTA?

ELLA APRETARÍA LA
MANO PARA MATARLA SI SU ABUELA LE DECÍA
QUE ESTABA VIVA Y LA DEJARÍA VOLAR
SI CONTESTABA QUE ESTABA MUERTA.

PARA ASOMBRO DE LUCÍA
SU ABUELA CONTESTÓ:

—DEPENDE DE TI, LA MARIPOSA
ESTÁ EN TUS MANOS.

114

# AMORES IMPOSIBLES

LA GATA LOLA ANDA SIEMPRE CAMINANDO CERCA DEL ALAMBRADO QUE SEPARA DOS PATIOS . EN ALTO SU COLA NEGRA Y SIGILOSAS SUS PATITAS BLANCAS SE PASEA MIRANDO UNO Y OTRO PATIO CON LOS OJOS GRANDES. A VECES SE PONE PANZA ARRIBA Y JUEGA A TOCAR AL SOL. ES QUE EL PERRO DEL PATIO DE AL LADO LE GUSTA MUCHO.

MIENTRAS ELLA SE PASEA ROCO, UN PERRO GRANDE Y FEROZ, LADRA Y LADRA COMO SI SE LA QUISIERA COMER. Y ELLA...NADA, SE LAME LAS PATITAS, SE DA UN BAÑO DE SOL MIENTRAS LO MIRA SIN PESTAÑAR.

# LA BRUJA ANACLETA

ANACLETA ES UNA BRUJA MODERNA. SOLO SE PARECE A LAS VIEJAS BRUJAS POR EL NOMBRE PASADO DE MODA. ANACLETA NO USA HECHIZOS, NI ESCOBAS, NI VARITAS. VIAJA EN BICICLETA A TODA VELOCIDAD, USA ZAPATILLAS Y UNA GORRA COLORADA.

CUANDO ALGUIEN ESTÁ CERCA, NO CORRE SERIOS PELIGROS: PUEDE TROPEZARSE, HABLAR EN CHINO, CAMINAR DE COSTADO, A LO SUMO CON LAS MANOS. NADA GRAVE. ANACLETA SOLO SE ENOJA SI LA POLICÍA LA DETIENE, PERO SE CALMA ENSEGUIDA PARA QUE NO LE COBREN UNA MULTA.

ESTA TARDE, MIENTRAS IBA EN BICICLETA, UN AGENTE DE TRÁNSITO LA DETUVO. LA BRUJA LO VIO Y SE SINTIÓ PERDIDAMENTE ENAMORADA. ESTA VEZ, FUE ELLA LA HECHIZADA.

# LOS GRILLOS Y LA LUNA

LA LUNA ESTABA LLENA, LLENA DE TRISTEZA Y SE DESHIZO EN LLANTO SOBRE EL ASFALTO, SE LA VEÍA HECHA PEDACITOS EN LAS VEREDAS MOJADAS POR LA LLUVIA RECIENTE.

LOS GRILLOS SON LOS ÚNICOS QUE SABEN QUÉ LE PASA A LA LUNA. POR ESO, AL VERLA ASÍ, SE REUNIERON Y LE CANTARON CANCIONES ALEGRES DURANTE UNAS HORAS Y LUEGO DOS O TRES CANCIONES DE CUNA PARA QUE SE DURMIERA.

A NOSOTROS EL SONIDO DE LOS GRILLOS A VECES NO NOS DEJA DORMIR. CADA VEZ QUE LOS ESCUCHEMOS TENEMOS QUE SABER QUE ESTÁN CANTÁNDOLE A LA LUNA CANCIONES PARA HACERLA FELIZ.

¿POR QUÉ ESTABA TRISTE LA LUNA? NO LO SABEMOS. A VECES SOLAMENTE ESTAMOS TRISTES Y NECESITAMOS UN ABRAZO O UNA CANCIÓN.

117

# LA CABRA Y SUS CRÍAS

UNA CABRA ESTABA POR PARIR SUS CRÍAS, ENTONCES LE DIJO A SU COMPAÑERO:

—VAYAMOS A OTRO SITIO MÁS SEGURO, AQUÍ SIEMPRE RONDAN LOS ZORROS. NO PODREMOS HUIR SI NOS ATACAN PORQUE YO ESTARÉ DÉBIL Y MIS CRÍAS SERÁN MUY PEQUEÑAS.

EL COMPAÑERO LE DIJO QUE NO SE PREOCUPARA, LLEGADO EL MOMENTO, ÉL PROTEGERÍA A LAS CRÍAS Y A ELLA. LA CABRA AMABA MUCHO A SU COMPAÑERO, PERO ADEMÁS DE AMOR, EN SU CORAZÓN HABÍA CAUTELA Y EXPERIENCIA.

ASÍ QUE A LA TARDE SIGUIENTE LO CONVENCIÓ Y SE ALEJARON A UN SITIO QUE LE PARECIÓ SEGURO. VOLVIERON AL TIEMPO, CUANDO SUS CRÍAS ESTABAN GRANDES Y PODRÍAN HUIR CON ELLAS DE LOS ZORROS.

# UN VIAJE ASOMBROSO

NANI Y SU NIETO RUDY FUERON A LA PLAZA.
EL SOL ESTABA TIBIO Y ALGUNAS NUBES
CRUZABAN EL CIELO.

SE PUSIERON A MIRARLAS Y ENCONTRARON CARAS,
CERDOS, COHETES, DELFINES Y CABALLOS. SE REÍAN
CUANDO DESCUBRÍAN NUBES CON FORMAS DE
TODO TIPO DE COSAS Y ANIMALES.

DE PRONTO NANI LE DIJO A SU NIETO:

—¡MIRA! ¡UN VELERO! —LO SEÑALÓ CON SU DEDO
PARA QUE RUDY LO ENCONTRARA ENSEGUIDA.

—¿PODEMOS SUBIRNOS? —LE PREGUNTÓ EL NIÑO
CON ENTUSIASMO.

ENTONCES CERRARON LOS OJOS, ESTIRARON HACIA
ARRIBA LAS MANOS, Y NAVEGARON POR EL
CIELO EN EL VELERO TODA LA TARDE.

CUANDO EL SOL YA SE MARCHABA
VOLVIERON A LA CASA PARA QUE
LA MAMÁ Y EL PAPÁ DE RUDY
NO SE PREOCUPARAN.

# MUDANZA

ANA Y SU FAMILIA SE MUDARON. ANTES VIVÍA EN UN DEPARTAMENTO DONDE COMPARTÍA LA HABITACIÓN CON SUS DOS HERMANOS.

EL PAPÁ HABÍA CONSEGUIDO TRABAJO EN UN PUEBLO PEQUEÑO.

ELLA ESTABA UN POCO TRISTE PORQUE NO VERÍA MÁS A PAULA, SU MEJOR AMIGA, NI IRÍA A LA PLAZA A JUGAR ENTRE ÁRBOLES Y CANTEROS CON FLORES.

—¿CON QUIÉN VOY A JUGAR? ¿CÓMO HARÉ NUEVOS AMIGOS? —SE PREGUNTABA.

AL LLEGAR A SU NUEVO HOGAR, UN PERRO SE LE ACERCÓ MOVIENDO LA COLA. EN LA CASA HABÍA UN DORMITORIO SOLO PARA ELLA Y EL PATIO TENÍA ÁRBOLES Y FLORES, PARECÍA UNA PLAZA.

UNOS VECINOS SE ACERCARON PARA DARLES LA BIENVENIDA. ENTRE ELLOS HABÍA UNA NIÑA DE SU EDAD.

—¡HOLA, ME LLAMO ANDREA! ¿QUIERES VENIR A MI CASA A JUGAR?

# EL SECRETO DEL PEZ VOLADOR

LA MAMÁ DE UN PEZ VOLADOR ESTABA PREOCUPADA PORQUE SU PEQUEÑO HIJO NO COMÍA.

CUANDO EL CARDUMEN SALÍA A BUSCAR SUS PRESAS, EL JOVENCITO SE ENTRETENÍA MIRANDO LOS CORALES Y NO COMÍA NADA.

—¡QUÉ LE PASA A ESTE HIJO MÍO! ¡SI NO COME NO TENDRÁ FUERZAS PARA ESCAPAR DE NUESTROS DEPREDADORES!

EL PEQUEÑO PEZ VOLADOR NADABA MUY RÁPIDO Y HABÍA APRENDIDO A VOLAR. POR LAS NOCHES, CUANDO SU MAMÁ DORMÍA, NADABA A GRAN VELOCIDAD, LO QUE LE PERMITÍA VOLAR TAN LEJOS Y TAN ALTO COMO PARA LLEGAR A LAS ESTRELLAS Y COMERSE UNA.

SIN QUE NADIE LO SUPIERA, EL PEZ CRECIÓ SANO Y FUERTE. TENÍA UN COLOR CELESTE FLÚO QUE A TODOS ASOMBRABA.

# APRENDIZ DE DRAGÓN

UN DRAGÓN PEQUEÑO ESTABA APRENDIENDO A VOLAR. APENAS PODÍA MANTENERSE EN EL AIRE, PERO SUBIÓ BIEN ALTO EN EL CIELO. CUANDO QUISO ATERRIZAR, COMO BAJABA A MUCHA VELOCIDAD, SE HIZO DAÑO EN UNA DE SUS PATAS.

EL ANIMAL GRITABA DE DOLOR. COMO TAMBIÉN ESTABA APRENDIENDO A SACAR FUEGO POR LA BOCA, CUANDO GRITABA MIRANDO SU PATA LASTIMADA, LE ECHABA FUEGO Y LE DOLÍA MÁS AÚN.

NO TENÍA CONSUELO Y NADIE PODÍA ACERCARSE PORQUE ECHABA FUEGO PARA TODOS LADOS.

LOS PADRES TUVIERON QUE AGARRARLO POR LA COLA Y SUMERGIRLO EN EL LAGO. EL FUEGO SE APAGÓ Y LA FRESCURA DEL AGUA CALMÓ SU DOLOR.

122

# UNA NUEVA INVITADA PARA LA CENA

UNA MADRESELVA QUE TREPABA POR LA COLUMNA DE LA GALERÍA ESCUCHABA A LOS CHICOS JUGANDO
DENTRO DE LA CASA.

—¡CÓMO ME GUSTARÍA VERLOS JUGAR!

LA ENREDADERA ESTIRÓ SUS TALLOS Y FLORECIÓ MÁS Y MÁS HASTA QUE ATRAVESÓ LA VENTANA.

AL DÍA SIGUIENTE LLEGÓ A LA PATA DE LA MESA. SUBIÓ Y SUBIÓ HASTA QUE LOGRÓ LA MEJOR VISIÓN PARA
VER JUGAR A LOS NIÑOS: SE ENREDÓ ALREDEDOR DE LA LÁMPARA QUE ESTABA SOBRE LA MESA.

CUANDO LA FAMILIA COMÍA SE PASABAN LOS PLATOS EVITANDO DAÑAR LAS HOJAS Y LAS FLORES
DE LA MADRESELVA.

123

# ARIEL Y ANDINA

ARIEL SE MUDÓ A UNA CASA EN LA QUE HABÍA UN NARANJO.
CUANDO LAS FRUTAS ESTUVIERON MADURAS
QUISO COMER UNA.
AL MORDERLA APARECIÓ UNA JOVEN MUJER.
—ME LLAMO ANDINA Y VENGO DE UN LUGAR LEJANO.
NO PODRÉ REGRESAR HASTA QUE NO
QUEDEN NARANJAS EN EL ÁRBOL.
ARIEL NO PODÍA DEJAR DE MIRAR SUS OJOS NEGROS Y
BRILLANTES Y QUISO AYUDARLA. COMIÓ ALGUNAS, OTRAS
LAS REGALÓ Y VENDIÓ LAS ÚLTIMAS EN LA FERIA.
A ARIEL LE GUSTABA CONVERSAR CON ANDINA
MIENTRAS COSECHABA LAS NARANJAS.
CUANDO ARRANCÓ LA ÚLTIMA SUPO QUE
NO VOLVERÍA A VERLA.
SIN EMBARGO, AL MES, SE ENCONTRÓ
CON UNA JOVEN DE OJOS NEGROS Y
BRILLANTES. CONVERSARON COMO
SI SE CONOCIERAN DE ANTES.
NUNCA SE SEPARARON.

# LA COMPETENCIA

EN LA ÉPOCA DEL AÑO EN QUE FLORECEN LOS JACARANDÁS, SE MIRAN ENTRE ELLOS PARA VER QUIÉN ES EL PRIMERO EN DAR UNA FLOR.

ESE AÑO, EL MÁS COMPETITIVO SE DIJO:

—¡NUNCA LOGRO SER EL PRIMERO! ESTA VEZ VOY A MANTENER LAS FLORES EN SUS CAPULLOS PARA LUEGO MOSTRARLAS TODAS EN UN SOLO DÍA.

PENSÓ QUE SERÍA MÁS IMPACTANTE QUE SER EL PRIMERO EN FLORECER.

AGUANTÓ TODO LO QUE PUDO PARA QUE NINGUNA APARECIERA ANTES DE QUE TODAS ESTUVIERAN LISTAS.

—¡YA ES EL DÍA! —SE DIJO.

QUISO ABRIR SUS FLORES, PERO HABÍA ESPERADO DEMASIADO, LOS CAPULLOS HABÍAN OLVIDADO CÓMO FLORECER.

DESDE ESE AÑO EL JACARANDÁ DISFRUTA CADA UNA DE SUS FLORES SIN COMPETIR CON NADIE.

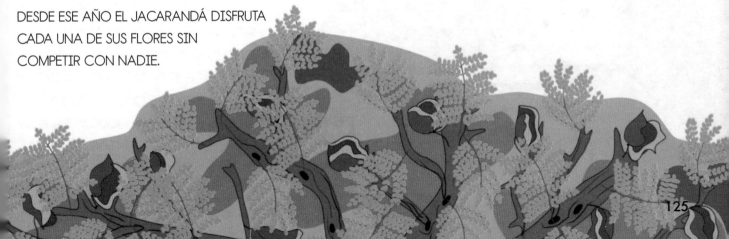

125

# LAURA Y LAS HORMIGAS

DEL JAZMÍN HABÍAN QUEDADO SOLO UNAS RAMAS FRÁGILES, LOS CAPULLOS Y LAS HOJAS HABÍAN DESAPARECIDO.
LAURA PASÓ LA NOCHE EN EL JARDÍN PARA SABER QUIÉN ATACABA A SU PLANTA FAVORITA.
ENTONCES VIO EL CAMINITO DE HORMIGAS. UNA TRAS OTRA SUBÍAN POR EL TALLO Y LLEGABAN A LOS BROTES MÁS TIERNOS PARA CORTARLOS Y LLEVÁRSELOS A SU HORMIGUERO.
LA NOCHE SIGUIENTE SIGUIÓ EL CAMINITO DE LAS HORMIGAS Y SE LE OCURRIÓ NEGOCIAR CON ELLAS.
PUSO UN PLATITO CON HOJAS DE MENTA Y AZÚCAR A MITAD DE CAMINO.
HACE UNA SEMANA QUE VIGILA POR LA NOCHE CON SU LINTERNA SU JAZMÍN. POR AHORA NO HAY NOVEDADES.
PARECE QUE LAURA ES BUENA COCINERA PARA LAS HORMIGAS.

126

# RATONCITO DESOBEDIENTE

UN RATONCITO SALIÓ DE SU CUEVA A PESAR DE LAS RECOMENDACIONES QUE LE HABÍA HECHO SU MAMÁ.

UN GATO LO VIO. RECORDÓ QUE ESTABA MUY VIEJO COMO PARA CORRERLO. ENTONCES DECIDIÓ ELABORAR OTRA ESTRATEGIA.

SE ACERCÓ A ÉL Y LE DIJO:

—¡QUÉ HERMOSO RATONCITO ERES!

EL RATÓN RECORDÓ QUE SU MAMÁ LE HABÍA DICHO QUE HUYERA DE LOS GATOS. QUISO CORRER, PERO EL GATO HABLÓ ANTES:

—¡NO TE ASUSTES! YO ESTOY MUY VIEJO Y YA NO COMO CARNE. ¿QUISIERAS ACOMPAÑARME A ALMORZAR? PUEDO INVITARTE CON UN QUESO RIQUÍSIMO QUE TENGO ESCONDIDO.

EL RATÓN LO MIRÓ Y ESCUCHÓ CON CUIDADO, Y LUEGO LE DIJO:

—¡MUCHAS GRACIAS! ¡SERÁ LA PRÓXIMA! —MIENTRAS ESCAPABA A TODA VELOCIDAD.

# EL HECHIZO

AURELIO ERA UN ANCIANO DUEÑO DE UNA HUERTA. DOS HOMBRES JÓVENES LO AYUDABAN EN EL TRABAJO. UNO DEL ELLOS ESTABA COSECHANDO CALABAZAS Y VIO QUE UNA SE MOVÍA CUANDO QUERÍA ARRANCARLA. ASOMBRADO, NO DIJO NADA. MÁS TARDE, AURELIO RECORRIÓ LA HUERTA Y VIO LA CALABAZA. ACARICIÁNDOLA, LE DIJO:

—¡QUE PASÓ, QUE NO TE COSECHARON!

ANTE LA CARICIA, LA CALABAZA SE TRANSFORMÓ EN UNA BELLA MUCHACHA.

—¡AURELIO, LE AGRADEZCO QUE ME HAYA DESHECHIZADO! NECESITABA SOLO UNA CARICIA. POR SU GESTO LE HARÉ UN REGALO. LE TOCÓ EL HOMBRO Y LO REJUVENECIÓ CINCUENTA AÑOS. A LA MAÑANA SIGUIENTE RECIBIÓ A LOS TRABAJADORES UN HOMBRE JOVEN. SABÍA QUE DESCONFIARÍAN, ASÍ QUE LES DIJO:

—BUENOS DÍAS, SOY EL NIETO DE AURELIO.

128

# PENSAMIENTOS DE HORMIGA

UNA HORMIGA ESTABA TOMANDO EL SOL EN EL JARDÍN PORQUE ESTABA CANSADA. HABÍA TRASLADADO DEL JAZMÍN AL HORMIGUERO CUARENTA Y OCHO TROZOS DE HOJAS Y VEINTISÉIS PEDACITOS DE PÉTALOS. DISTRAÍDA, SE QUEDÓ MIRANDO CÓMO VOLABAN LOS CARDENALES DE UN ÁRBOL A OTRO. "¡ME GUSTARÍA SER UN PÁJARO Y TENER ALAS!", PENSÓ LA HORMIGA.

EN ESE MOMENTO LLEGARON SUS SIETE HIJOS, SU MAMÁ, SU TÍO Y SUS ABUELOS. SE PUSIERON A CONVERSAR SOBRE LAS PROVISIONES QUE HABÍA EN EL HORMIGUERO Y SE HICIERON CHISTES SOBRE LO QUE HABÍA LLEVADO CADA UNO. Y PENSÓ QUE, AÚN SIN ALAS, ERA MUY FELIZ CON LA FAMILIA QUE TENÍA.

# UNA VACA GLOTONA

LA VACA EULOGIA ESTABA CANSADA DE COMER ALFALFA TODOS LOS DÍAS.

—¡CON UNA HUERTA LLENA DE CEBOLLAS, REPOLLOS, AJOS Y TANTOS VEGETALES! —SE QUEJABA.

LA VACA CON MÁS EXPERIENCIA LE SUGIRIÓ QUE PROBARA LA CEBADA O EL MAÍZ QUE TAMBIÉN HABÍA EN EL CAMPO. PERO EULOGIA ERA MUY EMPECINADA. FUE HASTA LA HUERTA Y SE PUSO A MASTICAR CEBOLLAS ¡Y LE GUSTARON! PROBÓ EL REPOLLO ¡Y LE PARECIÓ EXQUISITO! ESTUVO TODA LA MAÑANA COMIENDO VERDURAS DE LA HUERTA.

AL DÍA SIGUIENTE LE DOLÍA LA PANZA, SE LA ESCUCHÓ MUGIR DESCONSOLADA POR TRES DÍAS. ENTONCES, OYÓ A LA VACA MÁS EXPERIMENTADA:

—¡TE DIJE QUE TE HARÍA MAL! ¿CREES QUE ERES LA PRIMERA QUE PRUEBA ALIMENTOS DE LA HUERTA?

# RABITO

LOS CONEJOS TIENEN EL PELO SUAVE Y LA COLITA COMO UN POMPÓN, IGUAL QUE RABITO, EL CONEJO QUE AYER LE REGALARON A LALO.

ESTA MAÑANA LO LLEVÓ AL PATIO Y MIENTRAS LO ACARICIABA PENSABA: "LOS CONEJOS TIENEN LOS DIENTES DE ADELANTE BIEN GRANDES, PERO RABITO NO. Y LES GUSTA LA ZANAHORIA, PERO A MI RABITO NO".

RECORDÓ QUE LOS CONEJOS VAN A LOS SALTITOS Y TIENEN OREJAS LARGAS Y PARADITAS. ENTONCES PENSÓ: "RABITO TIENE SUS OREJAS LARGAS, PERO SE LE CAEN A LOS COSTADOS. Y NO CAMINA A LOS SALTITOS, TAL VEZ PORQUE ES MUY CHIQUITO TODAVÍA".

SU PAPÁ SE LO REGALÓ CON UN COLLAR QUE DECÍA "RABITO".

LALO PENSÓ EN VOZ ALTA:

—¡QUÉ ANIMAL VA A SER CON ESE NOMBRE! PERO AHORA QUE LO PIENSO BIEN… ¡UY! ¡LADRA!

# REY DE LA SELVA

DICE UNA VIEJA LEYENDA QUE UN TIGRE HAMBRIENTO BUSCABA COMIDA CUANDO VIO UN ZORRO QUE ESTABA DISTRAÍDO ENTRE LA MALEZA. LO AGARRÓ ENTRE SUS ENORMES GARRAS.

—¡EY! ¿VAS A COMERME A MÍ, QUE SOY EL REY DE LA SELVA? —DIJO EL ZORRO DISIMULANDO SU MIEDO.

EL TIGRE LO SOLTÓ, SE RIO Y LE DIJO:

—¡TÚ, EL REY DE LA SELVA!

—SI QUIERES PUEDO DEMOSTRÁRTELO. CAMINA DETRÁS DE MÍ Y VERÁS CÓMO LOS ANIMALES HUYEN CUANDO ME VEN —LE DIJO EL ZORRO.

EL TIGRE SINTIÓ INTRIGA Y COMENZÓ A SEGUIRLO DE CERCA POR SI QUERÍA ENGAÑARLO.

TODOS LOS ANIMALES HUÍAN CUANDO VEÍAN AL ZORRO, Y DETRÁS DE ÉL, UN TIGRE.

—PARECE QUE TIENE RAZÓN. DISCÚLPEME, SEÑOR ZORRO, REY DE LA SELVA —DIJO EL TIGRE Y SE ALEJÓ.

132

# ¡POR FIN!

UNA LECHUCITA QUERÍA ENAMORARSE Y TENER UNA FAMILIA. LA ABUELA, QUE ERA SABIA, LE ACONSEJÓ QUE FUERA A ANIDAR A UN ÁRBOL DE CEREZO FLORECIDO. LA LECHUCITA VIAJÓ MUCHO HASTA QUE LO ENCONTRÓ. ALLÍ HIZO SU NIDO Y ESPERÓ A SU ENAMORADO. PASABAN LOS MESES Y NINGÚN PÁJARO IBA A SU ENCUENTRO.

EN ESE MISMO TIEMPO UN AVE QUE TENÍA SU NIDO EN UN CEREZO VIAJÓ MUY LEJOS PORQUE SABÍA QUE ALLÍ HALLARÍA A LA LECHUCITA DE SUS SUEÑOS.

AL TIEMPO, AMBOS PÁJAROS DECIDIERON VOLVER A SU HOGAR. EN EL VIAJE DE REGRESO SE CONOCIERON Y DESDE ESE MOMENTO VOLARON SIEMPRE JUNTOS.

133

# UN INVIERNO MUY FRÍO

ESE INVIERNO FUE TAN FRÍO QUE HASTA EL VIENTO SE ENFERMÓ. NO HABÍA FRAZADA QUE ALCANZARA PARA CUBRIR LOS CAMPOS, NI BUFANDA PARA ABRIGAR A LOS ÁRBOLES. TODO QUEDABA HELADO CUANDO EL VIENTO TOSÍA SOBRE ELLOS. LAS ESTATUAS DE LAS PLAZAS, QUE SIEMPRE ESTABAN QUIETAS, PARECÍA QUE TEMBLABAN DE FRÍO.

A VECES CAÍAN UNAS POCAS GOTAS, COMO DE LLUVIA, PERO NO: ERA UN ESTORNUDO DEL VIENTO. EL SOL SE COMPADECIÓ DE ÉL Y EN PLENO AGOSTO LE HIZO UN TÉ CALENTITO.

EL VIENTO SE CURÓ, LOS ÁRBOLES Y LOS CAMPOS RESPIRARON TRANQUILOS Y LAS ESTATUAS SE QUEDARON QUIETAS, COMO SIEMPRE.

LA PRIMAVERA ESTABA CERCA. EL RESFRÍO DEL VIENTO SOLO ERA UN RECUERDO.

# LA LUNA Y EL NIÑO

LA LUNA, DISTRAÍDA, QUEDÓ ATRAPADA EN LA COPA DE UN VIGOROSO ROBLE.

—¡LIBÉRAME DE ESTA CÁRCEL, VIEJO ÁRBOL! —LE DECÍA CON INSISTENCIA.

—¡AH, LUNA BOBA! TÚ SOLA QUEDASTE ENCERRADA, SOLA LIBÉRATE.

ENTONCES LA LUNA RECURRIÓ AL VIENTO:

—SOPLA FUERTE SOBRE MÍ, AMIGO VIENTO, ASÍ PODRÉ HUIR DE MI ENCIERRO.

PERO EL VIENTO ANDABA JUGANDO CON LAS HOJAS Y NO ESCUCHÓ A LA LUNA.

AL VER LO QUE SUCEDÍA, UN NIÑO SE SENTÓ AL PIE DEL ÁRBOL Y COMENZÓ A CONTAR UNA HISTORIA SOBRE LAS HAZAÑAS DE UN VIEJO ROBLE.

LA LUNA APROVECHÓ LA DISTRACCIÓN DEL ÁRBOL Y ESCAPÓ EN SILENCIO.

PRECAVIDA, AHORA SE QUEDA EN LO ALTO Y SUEÑA CON NIÑOS QUE LE CUENTAN HISTORIAS.

135

# LOS BUENOS GESTOS NO SE OLVIDAN

UN PICHÓN DE ÁGUILA, INTENTANDO VOLAR, CAYÓ EN UNA GRANJA. LOS ANIMALES DE ALLÍ DESCONOCÍAN DE QUÉ ESPECIE ERA ESE PÁJARO. EL PEQUEÑO SE QUEDÓ EN UN RINCÓN. TENÍA MIEDO DE QUE ALGÚN ANIMAL LO LASTIMARA. UN CONEJO MUY VALIENTE SE ACERCÓ Y LE LLEVÓ COMIDA. ASÍ EMPEZARON A HACERSE AMIGOS. A LOS POCOS DÍAS LOS DOS JUGABAN JUNTOS EN EL CAMPO.

UNA MAÑANA EL ÁGUILA ALZÓ VUELO Y VOLVIÓ CON SU FAMILIA. SE ALEGRARON MUCHO DE VERLO REGRESAR.

EN LA PRÓXIMA CACERÍA EN LA QUE PARTICIPÓ, BAJÓ EN PICADA PORQUE CREYÓ VER UNA PRESA QUE SERÍA RIQUÍSIMA, PERO AL ESTAR CERCA SE DIO CUENTA DE QUE ERA SU AMIGO EL CONEJO.

EL ÁGUILA LEVANTÓ VUELO Y FUE EN BUSCA DE OTRA PRESA.

# VIVIR CON AMIGOS

UN PERRO SIN NOMBRE VIVÍA EN LA CALLE JUNTO A OTROS PERROS. ESTABAN SIEMPRE HAMBRIENTOS.

AQUEL PERRO UN DÍA SE ALEJÓ EN BUSCA DE COMIDA. LLEGÓ A UNA CALLE EN LA QUE HABÍA VENDEDORES AMBULANTES. TODOS LO ACARICIARON Y LE DIERON UN BOCADO PARA COMER.

SIN EMBARGO, ALLÍ LOS PERROS ERAN DESCONFIADOS Y LE MOSTRABAN LOS DIENTES. AL PERRO NO LE GUSTÓ Y DECIDIÓ VOLVER CON SUS AMIGOS.

LO RECIBIERON MOVIENDO LA COLA, COMO HACEN CUANDO ESTÁN FELICES.

DESDE ESE DÍA, SE ORGANIZARON PARA ENCONTRAR Y REPARTIR LA COMIDA ENTRE TODOS.

# EL CAMINO DEL RÍO

LA MADRE DE LOS RÍOS VIVE EN LA CIMA DE UNA MONTAÑA. CON SU PIEL BLANCA Y SU VOZ CALLADA OBSERVA LOS CAMINOS QUE LLEVARÁN LEJOS A SUS HIJOS. EL VIENTO LA ACARICIA Y LE CUENTA LAS COSAS QUE SUCEDEN EN EL VALLE.

DURANTE EL INVIERNO, ARRULLA A SUS HIJOS CON UNA MELODÍA DULCE Y SERENA. LES HABLA SOBRE LAS FLORES Y LOS ANIMALES QUE CONOCERÁN EN SU CAMINO, LES DICE QUE EL MAR ES UN LUGAR INMENSO QUE LOS ESPERA AL FINAL DE SU TRAYECTO.

LA PRIMAVERA LA CONVENCE DE QUE ES HORA DE DEJARLOS IR.

Y ASÍ SE VAN LOS RÍOS, A LOS SALTITOS, TARAREANDO UNA FRESCA CANCIÓN, REVERDECIENDO LAS ORILLAS DE TANTA FELICIDAD, CON EL SUEÑO DE LLEGAR AL MAR.

138

# ¿SE OYE?

AMELIA ES SORDA. NO ESCUCHA NADA. CUANDO
SUS NIETOS SE PONEN A HABLAR DELANTE DE
ELLA, NUNCA DICE NADA. SI LE PREGUNTAN
ALGO, SE PONE LA MANO EN LA OREJA COMO
PARA AYUDAR AL SONIDO A QUE LLEGUE A ELLA
Y LES PREGUNTA:

—¿QUÉ ESTÁN DICIENDO? ¿PUEDEN HABLAR
MÁS FUERTE?

LO RARO ES QUE, SI LOS CHICOS HABLAN
DE LO QUE LES GUSTA LA TORTA DE NARANJAS,
EL DOMINGO SIGUIENTE LOS INVITA A
MERENDAR CON TORTA DE NARANJAS; SI DICEN
QUE NECESITAN UNA BUFANDA, JUSTO ELLA EN
ESOS DÍAS SE PONE A TEJER.

CASUALIDADES QUE OCURREN A VECES…

# NIQUI Y NICOLÁS

UN CERDO VIVÍA EN UNA GRANJA. EL HIJO DEL DUEÑO, NICOLÁS, LO LLAMÓ NIQUI. EL PADRE LE DIJO A SU HIJO:

—NO TE ENCARIÑES, PRONTO LO VENDEREMOS.

NICOLÁS IBA TODOS LOS DÍAS CON NIQUI A LA LAGUNA. ALLÍ JUGABAN JUNTOS TODA LA TARDE. EN UNO DE SUS PASEOS, NICOLÁS TROPEZÓ Y SE LASTIMÓ UNA PIERNA.

—¡VUELVE A CASA, NIQUI, Y TRAE A MI PAPÁ! —LE DIJO EL NIÑO AL ANIMAL.

EL CERDO VOLVIÓ A LA GRANJA Y TIRONEÓ DEL PANTALÓN DEL GRANJERO HASTA QUE ESTE LO SIGUIÓ. ENCONTRÓ A SU HIJO Y LO LLEVÓ A LA CASA. CUANDO NICOLÁS SE RECUPERÓ SIGUIÓ YENDO A LA LAGUNA CON NIQUI. AL MES, LLEGÓ EL COMPRADOR DEL CERDO, ENTONCES EL GRANJERO LE DIJO:

—USTED DISCULPE. ESTE CERDO NO SE VENDE.

140

# MIEDO A LA OSCURIDAD

UNA VEZ LA NOCHE EMPEZÓ A TENERLE MIEDO A LA OSCURIDAD. TODOS LOS ANIMALES DE LA SELVA, DE LA LLANURA Y DE LAS CIUDADES TRATARON DE EXPLICARLE QUE, JUSTO ELLA, NO PODÍA TENER MIEDO A LA OSCURIDAD.

—¡PERO ES QUE ME DA MIEDO! —DECÍA, Y SEGUÍA LLORANDO.

LOS HOMBRES NI SE DIERON CUENTA DE LO QUE PASABA, SEGUÍAN TRABAJANDO SIN PARAR PORQUE NUNCA ERA DE NOCHE.

DESPUÉS DE UN TIEMPO, LA NOCHE EMPEZÓ A VER QUE EL GALLO NO CANTABA, LAS FLORES NO FLORECÍAN, LOS PÁJAROS VOLABAN CANSADOS. ENTONCES DIJO FUERTE, PARA QUE ESCUCHARAN TODOS:

—YO SOY LA NOCHE, TENGO MIEDO, PERO SOY LA NOCHE.

TODO VOLVIÓ A LA NORMALIDAD Y LA NOCHE SIGUIÓ CON MIEDO, PERO SE SINTIÓ VALIENTE.

# DESPUÉS DE LA LLUVIA

EN UN VALLE RODEADO DE MONTAÑAS TENÍAN SUS FINCAS EL SEÑOR RODRÍGUEZ, EL SEÑOR LÓPEZ Y EL SEÑOR GARCÍA. RODRÍGUEZ LE DECÍA A PÉREZ:

—¡NO QUIERO A TUS CABALLOS PASTANDO EN MIS TIERRAS!

PÉREZ LE DECÍA A GARCÍA:

—¡ESE TERNERO QUE TIENES ES HIJO DE MI TORO! ¡PÁGAME LA MITAD!

GARCÍA LE DECÍA A RODRÍGUEZ:

—¡TÚ ERES EL CULPABLE DE ESTA INVASIÓN DE COTORRAS!

LA NATURALEZA SE CANSÓ DE TANTA DISCUSIÓN, ASÍ QUE LLAMÓ A LA LLUVIA. ESA NOCHE LLOVIÓ MUCHO Y NO DEJÓ DE LLOVER POR UN MES. LOS SEÑORES RODRÍGUEZ, PÉREZ Y GARCÍA HUYERON DE LA INUNDACIÓN. AHORA TRABAJAN JUNTOS, COMPARTEN SU COMIDA Y SE RÍEN JUNTOS DE SUS VIEJAS DISCUSIONES.

# HADITAS

EN TIEMPOS REMOTOS, LAS FLORES NACÍAN DE
SEMILLAS ARROJADAS AL VIENTO POR LAS HADAS.
EL SOL LAS FLORECÍA, PERO SOLO PODÍA
DISFRUTARLAS UN RATITO. EL VIENTO SE LAS
LLEVABA VOLANDO PARA GOZAR DE SU
PERFUME Y HACER CON SUS PÉTALOS
BUFANDAS Y GUANTES ATERCIOPELADOS
PARA EL INVIERNO. LAS FLORES ESTABAN
UN POCO MAREADAS DE TANTO VIAJAR
POR EL AIRE Y NO DETENERSE NUNCA.

EL VIENTO, EL SOL Y LAS FLORES LLEGARON A
UN ACUERDO: ELLAS SE QUEDARÍAN
ENRAIZADAS EN LA TIERRA. EL SOL PODRÍA
ABRAZARLAS CON LA TIBIEZA DE SUS
RAYOS Y EL VIENTO LAS ACARICIARÍA
A SU PASO.

## LA CEBRA BLANCA

HACE MUCHO TIEMPO LAS CEBRAS ERAN BLANCAS.
UNA DE ELLAS SE ENAMORÓ DE UN TIGRE.
—¡ES UN AMOR IMPOSIBLE! ¡ÉL QUERRÁ
COMERTE! —LE DECÍAN SUS COMPAÑERAS.
LA CEBRA SUSPIRABA. PARA QUE ÉL LA QUISIERA SE
PINTÓ RAYAS NEGRAS CON PIGMENTOS NATURALES,
PARECIDAS A LAS DE ÉL. EL TIGRE AL VERLA PENSÓ:
"¿QUÉ GUSTO TENDRÁ ESTE ANIMAL TAN RARO?". LA
CEBRA, FELIZ PORQUE EL TIGRE LA MIRABA,
PENSÓ: "¡ESTÁ ENAMORADO DE MÍ!
VOY A ACERCARME UN POCO".
¡APENAS PUDO ESCAPAR ANTES
DE QUE LA MORDIERA…!
DESDE ESE DÍA TODAS LAS CEBRAS LES PINTAN
RAYAS A SUS CRÍAS Y LES CUENTAN ESTA
HISTORIA PARA QUE NINGÚN TIGRE LAS
ENCUENTRE DESPREVENIDAS.

# UN REY MUY INTELIGENTE

HUBO UNA VEZ UN REY QUE TEMÍA QUE LE ROBARAN SU FORTUNA. POR ESO HIZO TRAZAR CINCUENTA CAMINOS EN LOS ALREDEDORES PARA QUE TODO AQUEL QUE QUISIERA LLEGAR HASTA ALLÍ SE PERDIERA.

CON EL TIEMPO LOS POBLADORES QUE SALÍAN A COMPRAR CABALLOS O PROVISIONES FUERA DE LA COMARCA NO SABÍAN CÓMO REGRESAR. LOS ÚLTIMOS PREFIRIERON PERDERSE EN LOS EXTRAÑOS CAMINOS ANTES QUE QUEDARSE TAN SOLOS.

FINALMENTE, EL REY ABANDONÓ SU FORTUNA Y SE FUE PORQUE SE SENTÍA MUY SOLO ÉL TAMBIÉN. PENSÓ QUE SEGURAMENTE ENTRE TANTOS CAMINOS ENCONTRARÍA GENTE DE SU PUEBLO CON QUIEN ORGANIZAR OTRA COMARCA.

# TRES DESEOS

JULIÁN ERA UN NIÑO MALHUMORADO.

—¡QUIERO GOLOSINAS! ¡NO QUIERO IR A LA ESCUELA! —REPETÍA TODOS LOS DÍAS.

UNA NOCHE, SE ACERCÓ A SU CAMA EL HADA DE LA FELICIDAD.

—VINE A CUMPLIRTE TRES DESEOS.

EL NIÑO LE DIJO:

—¡QUIERO QUE CREZCAN GOLOSINAS DE LOS ÁRBOLES!

¡NO QUIERO IR A LA ESCUELA! Y QUIERO…

EL HADA LO INTERRUMPIÓ:

—DEJEMOS EL TERCERO PARA MAÑANA.

JULIÁN SE DESPERTÓ TARDE. ¡SU MAMÁ NO LO HABÍA LLAMADO PARA IR A LA ESCUELA Y ESE DÍA FESTEJABAN LOS CUMPLEAÑOS DEL MES! DESPUÉS VIO QUE HABÍA MUCHAS GOLOSINAS EN EL LIMONERO DEL PATIO. ESTUVO COMIÉNDOLAS HASTA EL MEDIODÍA. TODAVÍA ESTABA CON DOLOR DE PANZA CUANDO SE FUE A DORMIR. LLEGÓ EL HADA DE LA FELICIDAD Y EL NIÑO LE DIJO:

—MI TERCER DESEO ES QUE TODO SEA COMO ANTES.

146

# AVENTURA EN LA SELVA

EN EL AMAZONAS VIVE UN NIÑO LLAMADO HUACARÁ. ES ÁGIL Y ESCURRIDIZO.

HUACARÁ CONOCE CADA RINCÓN DE LA SELVA. ÉL Y SU FAMILIA SE ALIMENTAN DE PLANTAS Y DE ANIMALES QUE CAZAN. CON RAMAS SECAS CONSTRUYÓ UNA CHOZA SOLO PARA ÉL EN MEDIO DE LOS ÁRBOLES. ALGUNOS VIAJEROS DICEN HABERLO VISTO Y RECONOCER SU RISA. EL NIÑO JUEGA TODO EL DÍA SALTANDO DE RAMA EN RAMA Y CORRIENDO ENTRE LOS ANIMALES.

UNA NOCHE, SE QUEDÓ DORMIDO EN LA CHOZA. A LA MAÑANA SIGUIENTE, HUACARÁ VE UN PÁJARO HERIDO. SIN DUDARLO LO LLEVA A SU CASA QUE QUEDA EN EL POBLADO. SABE QUE SU PAPÁ VA A RETARLO PORQUE NO VOLVIÓ A DORMIR, PERO SEGURAMENTE LO AYUDARÁ A CURAR AL PÁJARO.

# UN CIEMPIÉS RENGO

UN CIEMPIÉS ESCAPÓ DE UN SAPO QUE QUERÍA DEVORARLO, PERO PERDIÓ DOS PATITAS.

—¡QUÉ HARÉ SIN MIS PATITAS! —LLORABA MIENTRAS CAMINABA CON SUS NOVENTA Y OCHO PATAS.

UNA ARAÑA LO VIO Y LE DIJO:

—¿DE QUÉ TE QUEJAS? YO TENGO SOLO OCHO PATAS Y MIRA QUÉ PUNTILLAS TEJO.

PERO EL CIEMPIÉS SEGUÍA LLORANDO.

PASÓ UNA LIBRE Y LE DIJO:

—¿DE QUÉ TE QUEJAS? YO TENGO CUATRO PATAS Y NADIE ME ALCANZA CUANDO CORRO.

UN PÁJARO CARPINTERO DETUVO SU TRABAJO PARA DECIRLE:

—¿DE QUÉ TE QUEJAS? MIRA LOS TALLADOS QUE HAGO CON SOLO DOS PATAS.

TANTO LLORABA QUE UN ÁRBOL LE DIJO:

—¿DE QUÉ TE QUEJAS? MIRA CON UN SOLO PIE LAS FLORES QUE PUEDO DAR.

EL CIEMPIÉS SE SINTIÓ MEJOR Y DEJÓ DE LLORAR.

# SIEMPRE LA MISMA HISTORIA

LA ABUELA DE RICARDO LO ACOMPAÑA A DORMIR TODAS LAS NOCHES. EL NIÑO SIEMPRE LE PIDE QUE LE CUENTE LA MISMA HISTORIA. ELLA NO RECUERDA QUIÉN SE LA CONTÓ, PERO LE GUSTA MUCHO TAMBIÉN, ASÍ QUE UNA VEZ MÁS, MIENTRAS EL NIÑO LA MIRA CON LOS OJOS GRANDES ACURRUCADO EN LA CAMA, LE CUENTA:

—EN LAS CERCANÍAS DE UN PUEBLO HABÍA UNA UN INMENSO LAGO EN DONDE LOS CHICOS SE BAÑABAN EN EL VERANO. UN INVIERNO LLEGARON EN BANDADA MUCHOS PATOS. MIENTRAS NADABAN EN EL LAGO UN FRÍO REPENTINO COMENZÓ A CONGELAR EL AGUA. LOS PATOS SALIERON VOLANDO, PERO COMO SUS PATAS YA ESTABAN CONGELADAS, SE LLEVARON EL LAGO CON ELLOS.

RICARDO SE DUERME ENTONCES CON UNA SONRISA.

149

# ENTRE MANTAS Y ZAPATOS

CARMEN TEJÍA COLORIDAS MANTAS QUE VENDÍA EN LA FERIA.

UN MENSAJERO DE SU MAJESTAD COMPRÓ UNA Y LA LLEVÓ AL PALACIO. EL REY ORDENÓ A CARMEN QUE TEJIERA TRES MIL MANTAS. LA JOVEN TRABAJABA HASTA LLEGAR LA MADRUGADA.

SU VECINO, UN JOVEN ZAPATERO, VEÍA TODOS LOS DÍAS EL CANSANCIO DE CARMEN. EN LAS TARDES, FRENTE A SU CUARTO DE COSTURA, CANTABA MELODÍAS DE AMOR. ELLA DEJABA DE TEJER PARA ESCUCHARLO.

AL POCO TIEMPO DECIDIÓ NO CONTINUAR CON EL TRABAJO QUE LE HABÍA ENCARGADO EL REY Y VOLVER A LA FERIA. ALGUNOS DÍAS, EL JOVEN LA ACOMPAÑABA Y LE CANTABA DULCES MELODÍAS. OTROS, ELLA IBA AL TALLER DE ZAPATERÍA Y LE TEJÍA BUFANDAS DE COLORES.

# LA HERMOSA BICICLETA

DANIELA TENÍA UNA BICICLETA PLATEADA, CON FLECOS DE COLORES EN EL MANUBRIO Y UN CANASTO ROSA. A TODAS SUS AMIGAS LES GUSTABA.

UNA TARDE, CLARA Y SONIA LE DIJERON A DANIELA:

—¡DÉJANOS DAR UNA VUELTA! ¡SOMOS TUS AMIGAS!

—AHORA NO PUEDO —CONTESTÓ E INVENTÓ UNA EXCUSA PARA NO PRESTARLA. CLARA Y SONIA SE ALEJARON DE SU AMIGA EGOÍSTA Y SE OLVIDARON DE LA BICICLETA. JUGABAN EN EL PARQUE CON LAS HAMACAS Y SE REÍAN MUCHO JUNTAS.

DANIELA LAS VEÍA CUANDO DABA VUELTAS EN BICICLETA. UNA VEZ LES DIJO:

—SI ME DEJAN JUGAR CON USTEDES, LES PRESTO MI BICICLETA.

—¡VEN A JUGAR CON LAS HAMACAS! ES MÁS DIVERTIDO QUE ANDAR SOLA EN BICICLETA.

# EL REY AMBICIOSO

AL REY DE KUANHA LE GUSTABA VIAJAR Y CONOCER OTRAS COMARCAS. DE CADA UNA DE ELLAS TRAÍA UN OBJETO EXÓTICO: VASIJAS HECHAS DE ORO, PALILLOS DE MARFIL, ALFOMBRAS DE PIEL DE CAMELLO…

LLEGÓ EL TIEMPO EN QUE LOS VIAJES LO ABURRIERON. HABÍA DECIDIDO QUE SU PALACIO TENDRÍA TODAS LAS PRECIOSIDADES QUE HABÍA VISTO EN SUS VIAJES POR EL MUNDO. TODOS LOS DÍAS LLEGABAN OBJETOS VALIOSOS ENVIADOS DE OTRAS COMARCAS PARA HACER MÁS LUJOSO EL PALACIO.

DESPUÉS DE UN TIEMPO, EL REY SE DIO CUENTA DE QUE TANTOS OBJETOS LE IMPEDÍAN VER A TRAVÉS DE LAS VENTANAS. ENTONCES EMPEZÓ A REGALARLOS, Y ASÍ, PUDO DISFRUTAR LA HERMOSURA DE LA NATURALEZA, MÁS VALIOSA QUE TODOS SUS LUJOSAS ADQUISICIONES.

# UNA MARIPOSA DIBUJADA

ANTONELA DIBUJÓ UNA MARIPOSA DE TODOS COLORES, CON ALAS GRANDÍSIMAS Y ANTENAS LARGAS. DESPUÉS SALIÓ A JUGAR CON SUS AMIGOS.

LA MARIPOSA DIBUJADA OÍA LA RISA DE LOS CHICOS.

—¡CÓMO ME GUSTARÍA JUGAR CON ELLOS BAJO EL SOL! —DIJO CON PENA.

EL SOL LA ESCUCHÓ Y DEJÓ ENTRAR UN RAYITO QUE ILUMINÓ SU CUERPO MULTICOLOR. LA MARIPOSA AGITÓ SUS ALAS Y ESTUVO TODA LA TARDE JUGANDO EN EL JARDÍN CON LOS CHICOS Y LAS FLORES.CON EL SOL SE FUE EL ENCANTAMIENTO. LA MARIPOSA VOLVIÓ AL PAPEL.

ANTONELA BUSCÓ SU DIBUJO Y LO PUSO EN LA PARED, JUNTO A SU CAMA. EN ESE LUGAR, UN RAYITO DE SOL ENTRABA CADA MAÑANA.

# AMIGOS

RODRIGO Y BRUNO FUERON AMIGOS DESDE EL JARDÍN DE INFANTES. A LOS DOS LES GUSTABA BUSCAR CIUDADES EN LOS MAPAS Y ENCONTRAR ANIMALES RAROS EN LOS LIBROS.

SOLO SE VEÍAN EN LA ESCUELA PORQUE VIVÍAN LEJOS.

A LOS NUEVE AÑOS SABÍAN ANDAR EN BICICLETA, ASÍ QUE RODRIGO INVITÓ A BRUNO A SU CASA.

CUANDO SE REUNIERON RODRIGO LO LLEVÓ AL CLUB Y ESTUVIERON TODA LA TARDE JUGANDO AL FÚTBOL. BRUNO NO SE DIVIRTIÓ NADA.

A LA SEMANA BRUNO INVITÓ A SU AMIGO A SU CASA. LO ESPERÓ CON LA COMPUTADORA Y ESTUVIERON JUGANDO EN ELLA TODA LA TARDE. RODRIGO NO SE DIVIRTIÓ NADA.

DESDE ESE DÍA COMPARTEN LO QUE LES GUSTA A LOS DOS: EL HELADO, ALGUNOS LIBROS, IR EN BICICLETA Y SIGUEN SIENDO MUY BUENOS AMIGOS.

# OLORES PREFERIDOS

UN CAZADOR DE PERDICES, COMO ESTABA
OSCURECIENDO, SE DIRIGÍA DE REGRESO A SU CASA
DONDE LO ESPERABAN SU MUJER Y SUS HIJOS.
UNA TORMENTA LO OBLIGÓ A GUARECERSE
ENTRE LOS ÁRBOLES.
ENCONTRÓ UN LUGAR SECO DONDE COLOCAR
SU MANTA Y SE ACOSTÓ. DORMIRÍA HASTA QUE LA
TORMENTA PASARA. SIN EMBARGO, HABÍA ALGO QUE
LE IMPEDÍA CERRAR LOS OJOS. ERA UN OLOR MUY
PENETRANTE. RECORRIÓ LAS CERCANÍAS Y ENCONTRÓ
UNA FLORES BLANCAS COMO ROSAS QUE EMANABAN
ESE PERFUME INTENSO. RECOGIÓ ALGUNAS PARA
LLEVÁRSELAS A SU FAMILIA Y LAS GUARDÓ EN LA
BOLSA QUE USABA COMO ALMOHADA.
A LOS CINCO MINUTOS ESTABA DORMIDO.

# LAS TRAVESURAS DE RAMÓN

ANGELINA SE PUSO A JUGAR CON SUS MUÑECOS Y SE DIO CUENTA DE QUE LE FALTABA RAMÓN, EL BURRO DE PELUCHE. RECORDÓ QUE EL DÍA ANTERIOR HABÍA INVITADO A SU CASA A CARLITOS, SU VECINO, Y QUE LE HABÍA DICHO QUE LE GUSTABA MUCHO EL BURRO.

—¡ME LO ROBÓ! ¡CARLITOS ME ROBÓ A RAMÓN! ¡MAMÁ, TIENES QUE DECIRLE QUE ME LO DEVUELVA!

LA MADRE CONSOLÓ A LA NIÑA Y LE PIDIÓ QUE BUSCARA BIEN PRIMERO, QUE TAL VEZ EL BURRO HABÍA HECHO UNA TRAVESURA Y SE HABÍA ESCONDIDO. ASÍ ERA: EL GRACIOSO SE HABÍA QUEDADO DURMIENDO ENTRE LAS SÁBANAS, A LOS PIES DE LA CAMA.

AL DÍA SIGUIENTE ANGELINA INVITÓ A CARLITOS A JUGAR Y A TOMAR JUNTOS LA MERIENDA.

# UNA COTORRA ÚNICA

EN UN ÁRBOL LLENO DE COTORRAS NACIÓ UNA DE COLOR ANARANJADO.

TODAS LA MIRARON Y LE DIJERON:

—¡TÚ NO ERES COMO NOSOTRAS!

—¡TE HAS EQUIVOCADO DE TRAJE!

—¡A TI TE HAN HECHIZADO!

LA COTORRA ANARANJADA A VECES SE ENOJABA, OTRAS SE ENTRISTECÍA O SE ESCONDÍA.

CUANDO LA VIO DON COTORRÓN, UN ABUELO MUY SABIO, LE DIJO:

—¡QUÉ MARAVILLA! ¡TIENES EL COLOR DEL ATARDECER!

OTRA VEZ LE COMENTÓ:

—¡QUÉ BIEN VUELAS!

DE A POCO ELLA SE ANIMÓ A HABLAR CON EL ABUELO. AL VERLA CONVERSAR Y REÍRSE, OTRAS COTORRAS SE ACERCARON Y EMPEZARON A JUGAR CON ELLA.

# EL VIAJE DEL CARACOL

EL CARACOL SE ARRASTRABA LENTAMENTE PARA LLEGAR A UNA ENREDADERA MUY APETITOSA QUE ESTABA LEJOS.

EN SU CAMINO, UN GRILLO LE DIJO:

—¡CÓMO PUEDES SER TAN LENTO!

EL CARACOL NO DIJO NADA.

LUEGO UNA LANGOSTA SE OFRECIÓ A AYUDARLO PARA AVANZAR MÁS RÁPIDO, PERO ÉL LE DIO LAS GRACIAS Y SIGUIÓ SU CAMINO.

ESTABA POR LLEGAR CUANDO ESCUCHÓ A UN GORRIÓN:

—¡SÍ QUE ESTÁS PARA GANAR UN CARRERA!

EL CARACOL SE DETUVO Y ALZÓ SU CABEZA PARA DECIRLES:

—HE DISFRUTADO MUCHO EL VIAJE. ENCONTRÉ MUCHAS NUBES CON FORMAS RARAS, SENTÍ EL AROMA DULCE DE LOS JAZMINES Y DISFRUTÉ EL CIELO ANARANJADO DEL ATARDECER. AHORA ESTOY A PUNTO DE SABOREAR MI CENA. ¡FUE UN GRAN VIAJE!

Ç
A

# TEO EL LEÓN

TEO ES EL LEÓN MÁS VALIENTE DE LA MANADA. TIENE UNA MELENA LARGA, DORADA Y ESPONJOSA QUE BRILLA
CUANDO LE DA EL SOL. SUS PASOS SON FIRMES Y ELEGANTES.

—¡CUIDADO, NO SE ACERQUEN! —LES DICEN LOS MÁS VIEJOS A LOS LEONES JÓVENES.

POR LA NOCHE, CUANDO NADIE LO VE PORQUE ESTÁN DURMIENDO, TEO SALE A CAZAR LUCIÉRNAGAS,
Y SE RÍE SOLO PERSIGUIÉNDOLAS Y TRATANDO DE AGARRARLAS CON SUS ZARPAS FUERTES. CUANDO
ATRAPA UNA SE PONE BIZCO MIRÁNDOLA DE CERCA Y LUEGO LA SUELTA PARA QUE SIGA VOLANDO.
ALGÚN DÍA ALGUIEN DE SU MANADA SE DARÁ CUENTA Y LO ACOMPAÑARÁ
POR LAS NOCHES A JUGAR CON LAS LUCIÉRNAGAS.

# LA DECISIÓN DE LAS GACELAS

UN GRUPO DE GACELAS ESCAPÓ DE UN LEÓN Y SE OCULTÓ EN EL BOSQUE. ESTABAN CANSADAS Y SEDIENTAS. CERCA HABÍA UNA LAGUNA. ¿CÓMO LLEGAR ALLÍ SIN QUE EL LEÓN LAS VIERA? SE REUNIERON PARA TOMAR UNA DECISIÓN.

—¡VAYAMOS TODAS JUNTAS! NO PODRÁ COMERNOS A TODAS —DIJO UNA GACELA, PERO ESO ERA ARRIESGADO.

—¡YA SÉ! —DIJO OTRA—. UNA DE NOSOTRAS ENTRETIENE AL LEÓN Y LAS DEMÁS VAMOS A LA LAGUNA.

¡PARECÍA LA SOLUCIÓN PERFECTA!

—DE ACUERDO —DIJO UNA GACELA—. ¿QUIÉN IRÁ A ENTRETENER AL LEÓN?

NINGUNA HABLÓ POR UN LARGO TIEMPO. SE QUEDARON OCULTAS Y EN SILENCIO. CUANDO EL HAMBRE DEL LEÓN LO LLEVÓ A BUSCAR OTRA PRESA, FUERON TODAS JUNTAS A BEBER AGUA.

# RECOMPENSA

FÉLIX TODOS LOS DÍAS SALÍA CON SU BICICLETA Y SU CARRO
A JUNTAR LEÑA QUE LUEGO VENDÍA CASA POR CASA.

UNA TARDE CUANDO VOLVÍA CON SU CARRO LLENO, VIO UN
PÁJARO CON EL ALA QUEBRADA. LO ENVOLVIÓ CON UN TRAPO Y
EN SU CASA LO ALIMENTÓ Y LO CUIDÓ. A LA SEMANA, EL PÁJARO
VOLÓ HASTA EL CIELO Y NO VOLVIÓ A VERLO. UNOS DÍAS
DESPUÉS, SE PRESENTÓ EN SU CASA UNA SEÑORA MUY ELEGANTE
QUE LE DIJO:

—EL PÁJARO QUE SALVASTE ES DE MI HIJA.

—¿Y USTED CÓMO LO SABE?

—DESDE QUE VOLVIÓ TODOS LOS DÍAS VIENE HASTA
AQUÍ —RESPONDIÓ LA MUJER. Y AGREGÓ—: QUEREMOS
AGRADECERTE. NECESITAMOS A ALGUIEN QUE NOS AYUDE EN
NUESTRA GRANJA. ¿QUISIERAS TRABAJAR CON NOSOTROS?
FÉLIX RESPONDIÓ QUE SÍ, COMPLACIDO.

# LOS BERRINCHES DE ANTONIA

ANTONIA ERA UNA NIÑA HERMOSA PERO MUY PRESUMIDA. A PESAR DE TENER NUEVE AÑOS ELEGÍA SU ROPA Y SUS ZAPATOS. LA MAMÁ LA CONSENTÍA PARA QUE NO SE QUEJARA.

PRONTO SERÍA EL CUMPLEAÑOS DE LA ABUELA, Y HARÍAN UNA REUNIÓN FAMILIAR.

—MAMÁ, QUIERO UN VESTIDO BLANCO, TODO BLANCO, Y QUIERO TAMBIÉN ZAPATOS CON TACO.

FUE TAL EL BERRINCHE QUE HIZO, QUE LA MADRE CUMPLIÓ CON SUS DESEOS. AL FESTEJO LLEGARON LOS VEINTITRÉS NIETOS DE LA ABUELA. TODA LA JORNADA ESTUVIERON JUGANDO A LA MANCHA, A LA RAYUELA Y A LAS ESCONDIDAS. ANTONIA TUVO QUE QUEDARSE SENTADITA EN UNA SILLA TODO EL DÍA PORQUE SU VESTIDO Y SUS ZAPATOS LE IMPEDÍAN COMPARTIR LOS JUEGOS.

162

# UN RUISEÑOR

LA PEQUEÑA CODORNIZ SE MIRABA EN LA LAGUNA CON LOS OJITOS HÚMEDOS Y APENAS ABIERTOS. ES QUE SE ACORDABA DE LAS BURLAS DE SUS HERMANOS:

—¡ERES FEA ! ¡NO TIENES NUESTRAS PLUMAS Y TU COLOR ES DISTINTO!

UN SAPO SE ACERCÓ Y TAMBIÉN SE MIRÓ EN EL ESPEJO DEL AGUA. LA INTERROGÓ Y LA CODORNIZ LE CONTÓ LO QUE LE SUCEDÍA.

—¡ES QUE ESTÁS EQUIVOCADA! ¡ERES UN RUISEÑOR! TU DESTINO ES EL JARDÍN DEL PALACIO —LE DIJO EL SAPO.

ENTONCES LO LLEVÓ AL CASTILLO DE LA COMARCA. ALLÍ UNA JOVEN LO ALZÓ Y ACARICIÁNDOLE EL PICO LE DIJO:

—PEQUEÑO RUISEÑOR, ¡QUÉ SUERTE TUVE DE ENCONTRARTE!

AHORA SÍ, CON LA AYUDA DEL SAPO Y DE LA JOVEN,
EL AVECITA ENCONTRÓ SU LUGAR EN EL MUNDO.

163

# EL CASTILLO DE SAL

HABÍA UNA VEZ UN GIGANTE QUE TENÍA UN MOLINO
DE SAL. VIVÍA SOLO Y TRABAJABA DE SOL A SOL.
EN EL PUEBLO CERCANO SE DECÍA QUE ERA UN OGRO,
UN HECHICERO, QUE COMÍA A LAS VACAS Y A LOS
CERDOS... TODOS LOS LUGAREÑOS LE TEMÍAN.
UN DÍA, UNA JOVEN QUISO CONOCERLO
Y SE ACERCÓ AL MOLINO. EL GIGANTE SE ENAMORÓ
DE LA MUCHACHA Y CONSTRUYÓ PARA ELLA
UN CASTILLO DE SAL.
LOS POBLADORES, QUE NO SABÍAN QUÉ SUCEDÍA, SE
ENFURECIERON Y QUISIERON DESTRUIR EL MOLINO.
PERO NO PUDIERON.
EL GIGANTE Y LA MUCHACHA, SABIENDO QUE
LOS POBLADORES ACTUABAN ASÍ POR MIEDO Y
DESCONFIANZA, HICIERON UNA GRAN CENA E
INVITARON A TODOS PARA QUE
CONOCIERAN EL CASTILLO
Y LA BONDAD DEL GIGANTE.

# MARIPOSA LASTIMADA

UN GRUPO DE MARIPOSAS MULTICOLORES SE DIVERTÍAN EN EL JARDÍN. IBAN DE FLOR EN FLOR Y CORRÍAN CARRERAS DESDE EL ROSAL HASTA EL JAZMÍN. EN UNO DE ESOS JUEGOS, LA MARIPOSA AMARILLA SE LASTIMÓ UN ALA. LLORABA MUCHO PORQUE LE DOLÍA. EN LOS JARDINES SIEMPRE HAY UN DUENDE QUE AYUDA EN ESTOS CASOS. MIRÓ LA HERIDA EN SILENCIO CON CARA SERIA Y LUEGO INDICÓ:

—COLÓQUENLE UNA MEZCLA DE NÉCTAR Y POLEN. ESPEREN A QUE SEQUE LA HERIDA Y LUEGO ESTARÁ BIEN.

LAS OTRAS MARIPOSAS HICIERON LO QUE EL DUENDE LES HABÍA DICHO. MIENTRAS SE SECABA LA HERIDA, SE CONTARON SUS SUEÑOS Y SE RIERON. AL RATO YA ESTABAN CORRIENDO DE FLOR EN FLOR DISFRUTANDO DE LA TARDE.

# LAS DOS CULEBRAS

DOS CULEBRAS VIVÍAN FELICES EN UN PANTANO. TENÍAN TODO LO QUE NECESITABAN.

ESE VERANO LLOVIÓ MUY POCO Y EL PANTANO COMENZÓ A SECARSE.

—DEBEMOS IRNOS O MORIREMOS DESHIDRATADAS —DIJO LA CULEBRA ROJA.

—TIENES RAZÓN —CONTESTÓ LA CULEBRA GRIS—. ¿SABES A DÓNDE IR?

—AL NORTE HAY OTRO PANTANO CON MÁS AGUA. CRUCEMOS LA CIUDAD, ES EL CAMINO MÁS
CORTO —CONTESTÓ LA ROJA.

SU COMPAÑERA LE DIJO QUE EN LA CIUDAD PODRÍAN MATARLAS. DECIDIERON QUE CADA UNA IRÍA POR SU
CAMINO. LA CULEBRA GRIS LLEGÓ AL PANTANO Y NO ENCONTRÓ A SU AMIGA. PENSÓ QUE ALGO MALO LE
HABÍA PASADO. A LOS DOS DÍAS LLEGÓ LA CULEBRA ROJA MUY ASUSTADA. APENAS TUVO VOZ PARA DECIRLE:

—¡TENÍAS RAZÓN!

# PÁJAROS MÁGICOS

LOS PÁJAROS TIENEN LAS PATITAS FLACAS Y UN CUERPO FRÁGIL, PERO SABEN VOLAR Y, CUANDO LO HACEN, PARECIERA QUE BAILAN AL COMPÁS DEL VIENTO. ADEMÁS, SON UNA CARCAJADA DE COLORES. LAS PALOMAS, POR EJEMPLO, QUE PARECEN GRISES O BLANCAS, SE VUELVEN VERDEMARES, VIOLETARROSAS, ROJABESOS Y AZULMIRADAS CUANDO LES DA EL SOL. OTROS PÁJAROS SON MAGOS. SE SUBEN A LAS CABEZAS DE LA GENTE Y LES REGALAN LOS COLORES DE SUS PLUMAS Y TODAS LAS IMÁGENES, SONIDOS Y AROMAS QUE SINTIERON EN SUS VUELOS,

# NINA

¿ES UNA MANCHA NEGRA DEL PISO? ¿UN ALMOHADÓN? ¿UN TRAPO? ¿UN MONTÓN DE PELUSA? ¿SERÁ UN FANTASMA? ¡NO! ¡ES NINA, LA PERRA DE LA CASA, QUE ESTÁ DURMIENDO Y PARECE UNA ESTATUA!

NINA ES NEGRA Y PELUDA, TIENE SEIS MESES Y HACE COSAS DE CACHORRA.

AYER SE PUSO A JUGAR CON LAS MEDIAS DE LUCRECIA, MORDIÓ LAS ZAPATILLAS DEL PAPÁ Y DURMIÓ SOBRE UNA BLUSA DE LA MAMÁ DE LUCRECIA.

¡QUÉ ENOJADOS ESTABAN TODOS! POR ESO AHORA SE QUEDA QUIETITA EN UN RINCÓN DE LA SALA HASTA QUE ALGUIEN SE ACERQUE Y LA ACARICIE. ENTONCES ELLA SABRÁ QUE YA LA PERDONARON.

168

# LAS HADAS

CUANDO SE ENCIENDE LA NOCHE, SE APAGA EL RUIDO DE AUTOS, PLATOS, CACEROLAS, JUGUETES, TAMBIÉN LOS COLORES ESTRIDENTES, LAS VOCES Y HASTA LOS OLORES. ENTONCES, SE ENCIENDEN LOS PERFUMES DE LAS FLORES, LA CARICIA DE UN CUENTO, LA CAMA TIBIA, Y SÍ, TAMBIÉN LAS ESTRELLAS. EN ESE MOMENTO LLEGAN LAS HADAS DE LOS SUEÑOS Y CON SU VARITA, SIN QUE NADIE LAS VEA, REGALAN SUEÑOS ESPECIALES PARA CADA UNO. ALGUNOS DICEN QUE LAS HADAS VIVEN EN LAS ESTRELLAS; OTROS, QUE ESTÁN ESCONDIDAS DURANTE EL DÍA MUY CERQUITA DE LOS CHICOS.
¿NO SERÁ QUE LAS HADAS VIVEN EN CUALQUIER PARTE CUANDO ALGUIEN CREE EN ELLAS?

# NUESTRAS MANOS

LAS MANOS SON LÁPICES PARA ESCRIBIR EN EL CIELO, SE PUEDE DIBUJAR OLAS Y METERSE EN EL MAR, O UN PÁJARO GIGANTE Y ECHAR A VOLAR. O DIBUJAR UN BARCO Y CONOCER LUGARES INVENTADOS, DONDE LAS MONTAÑAS SON AZULES Y EL CIELO AMARILLO, DONDE LOS PIRATAS NO TIENEN PARCHE EN LOS OJOS, NI PATA DE PALO, NI ESPADA. SE PUEDE HACER CON ELLAS MARIPOSAS, COLIBRÍES, ABEJAS ZUMBONAS O MOSCAS NEGRAS Y PEGAJOSAS.

LAS MANOS SON LA LUNA CUANDO ACARICIAN, CON UNA SONRISA LARGA, UN ABRAZO Y UN TE QUIERO AL LEER UN CUENTO.

170

# LA RANITA MÁS HERMOSA

EN EL AMAZONAS, UNA RANA DE CRISTAL SE DELEITABA MIRÁNDOSE EN UN CHARCO.

—¡AY, RANITA! NO TE DISTRAIGAS! —LE ACONSEJABA UNA RANA CON MUCHA EXPERIENCIA—. LLEGARÁ UNA SERPIENTE Y CUANDO TE DES CUENTA, YA TE HABRÁ DEVORADO.

—¡NO TE PREOCUPES! —LE CONTESTABA LA RANITA Y SEGUÍA EMBELESADA MIRÁNDOSE EN EL AGUA.

LLEGÓ EL DÍA EN QUE UNA SERPIENTE LA VIO. CUANDO ESTUVO A PUNTO DE ATACARLA, LA RANITA DIO UN SALTO Y SE METIÓ EN EL AGUA. LAS OTRAS RANAS NO SALÍAN DEL ASOMBRO. EN CUANTO LA SERPIENTE SE FUE, VOLVIÓ CON SUS AMIGAS Y LES DIJO:

—YO SOY BELLA, PERO ADEMÁS, SOY MUY ÁGIL.

171

# BARCO PIRATA

TODOS LOS PIRATAS CONOCIDOS TIENEN PATA DE PALO, GARFIO Y UN PARCHE EN UN OJO.

ESTE BARCO PIRATA CORRÍA CON VENTAJA: ESO NUNCA LE IBA A SUCEDER A NINGÚN TRIPULANTE. EL PRIMER OFICIAL ERA UNA TORTUGA QUE ANTE CUALQUIER PELIGRO SE OCULTABA EN SU CAPARAZÓN, EL TIMONEL ERA UN PEZ, A LO SUMO, PODÍA LLEGAR A NECESITAR UN PARCHE EN EL OJO. Y EL CAPITÁN, UN LEÓN AL QUE NADIE SE ANIMABA A ENFRENTAR. ASÍ NAVEGABAN SIN CORRER RIESGO POR TODOS LOS MARES Y OCÉANOS.

TENÍAN ALGUNOS PROBLEMAS PARA CONSEGUIR RIQUEZAS, NO HABÍA ESPADAS, NI MANERA DE EMPUÑARLAS. PERO NO LES IMPORTABA: A ELLOS LES GUSTABA NAVEGAR.

# UNA TRAVESURA DE LA LUNA

CUANDO LLEGÓ LA NOCHE, MARTÍN SE SUBIÓ A LA RAMA MÁS ALTA DE UN ÁRBOL PARA ALCANZAR LA LUNA. LE DIO UN BESO EN LA MEJILLA. ASÍ LA CONVENCIÓ PARA QUE BAJARA A JUGAR. TODA LA NOCHE ESTUVIERON RODANDO ELLA, CORRIENDO ÉL, POR LAS CALLES DEL PUEBLO.

LA LUNA OLÍA A PAN, A GALLETA CON AZÚCAR RECIÉN HORNEADA.

EN LAS ESQUINAS ENTONABAN CANCIONES JUNTO LOS GRILLOS, LAS LUCIÉRNAGAS BAILARINAS Y LAS RANAS QUE ESTABAN EN LOS CHARCOS.

SIN MÁS FUERZAS, LA LUNA SE PUSO A DESCANSAR.

EL SOL DE LA MAÑANA LE DIO UN RETO POR LA TRAVESURA Y LA MANDÓ AL CIELO A DORMIR.

EN ESE MISMO MOMENTO SE DESPERTÓ MARTÍN CON UNA SONRISA Y UNA LUNA EN CADA OJO.

# Índice